WILLIAMS-SONOMA

Comida
Reconfortante

recetas
Rick Rodgers

fotografías
Ray Kachatorian

traducción
Laura Cordera
Ana Ma. Roza I.
Concepción O. de Jourdain

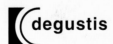

CONTENIDO

ACOMPAÑAMIENTO

ALGO DULCE

¿QUÉ ES LA COMIDA RECONFORTANTE?

¿Cómo se podría empezar a definir la comida reconfortante? Significa algo diferente para cada uno de nosotros. Evoca recuerdos de la niñez y nos llena de nostalgia hacia tiempos más relajados de nuestra juventud. Por un lado nos nutre y por el otro nos deleita, alimenta nuestras almas y nos anima a consentirnos. Nos sube el ánimo cuando nos sentimos desanimados y nos nutre cuando estamos felices, nos calma y nos satisface, como si nos envolviéramos con una gran cobija caliente. La comida reconfortante está formada por recetas consentidas, pasadas de generación en generación, que se servían en la mesa familiar.

Aunque la lista de comida reconfortante más importante para cada persona es diferente, algunos platillos aparecerán en casi todas ellas. Éstas son las recetas que he reunido aquí. Para cada receta he tratado de presentar la mejor versión original, usando los mejores ingredientes posibles. Quizás no sea el platillo tal y como usted lo recuerda de su niñez, pero le garantizo que estará delicioso y en muchos casos incluso podrá superar sus expectativas.

Algunos de los platillos reflejan los tiempos de antes, cuando todos los días se preparaban alimentos de lenta cocción, no como ahora que son un lujo reservado para los fines de semana. Otros se preparan fácilmente cada vez que se le antoje. Encontrará recetas para todas las comidas del día, tanto de nuestra cocina norteamericana como el hash de papa y corned beef, el sándwich de queso a la parrilla con crema de tomate y el crujiente pollo frito, como platillos que se han tomado prestados de afuera de nuestras fronteras como la sopa de cebolla estilo francés, la lasaña a la boloñesa y las enchiladas de pollo con queso derretido. En resumen, en este libro encontrará algo para deleitar a todos aquellos que disfrutan de sentarse a una mesa llena de comida reconfortante.

Rich Rodgers

¡ARRIBA TODOS!

En los días de colegio, el desayuno siempre representó una comida rápida de cereal con leche, con mamá tratando de deslizar rebanadas de plátano en nuestro plato para darnos vitaminas adicionales. Pero los fines de semana eran otra cosa. En esos días, ella calentaba la plancha para cocinar montones de hot cakes con moras azules o pan francés dorado. Si nosotros, los niños, nos habíamos portado especialmente bien esa semana, nos consentían con un plato de crujientes waffles. A fin de cuentas, no nos importaba cuál de los tres platillos nos servían, porque todos iban bañados con bastante mantequilla derretida y ríos de miel de maple. Hoy en día, estos platillos todavía se encuentran entre mis desayunos favoritos. Este capítulo tiene muchas opciones para el desayuno de una mañana relajada, cuando tenga tiempo para disfrutar con la familia y los amigos. Además de los platillos a la plancha encontrará de todo, desde un desayuno al estilo sureño con sémola de maíz con queso y jamón frito a la sartén, hasta donas con especias y esponjosos roles de canela, lo máximo del hedonismo mañanero.

Los hot cakes han sido un popular desayuno norteamericano desde que los cocineros coloniales descubrieron que una de las recetas favoritas de su antiguo país sabía aún mejor con la miel de maple de su nuevo hogar. A continuación se encuentra, quizá, la versión original para hot cakes salpicados de moras azules, coronados con mantequilla y bañados con miel.

HOT CAKES DE MORA AZUL

Harina de trigo (simple), 1½ taza

Bicarbonato de sodio, ¾ cucharadita

Polvo para hornear, 1½ cucharadita

Azúcar, 2 cucharadas

Sal de mar fina, ¼ cucharadita

Buttermilk o yogurt, 1¾ taza o el necesario

Huevos grandes, 2

Mantequilla sin sal, 3 tcucharadas derretida, más mantequilla para acompañar

Moras azules, 2 tazas

Aceite de canola para cocinar

Miel pura de maple para acompañar

RINDE 4 PORCIONES

Precaliente el horno a 90ºC (200ºF). Sobre un tazón grande cierna la harina, bicarbonato, polvo para hornear, azúcar y sal. En un tazón mediano bata con ayuda de un batidor globo 1 1/3 taza de buttermilk, los huevos y las 3 cucharadas de mantequilla derretida. Vacíe la mezcla de buttermilk sobre la mezcla de harina y bata sólo hasta integrar. Incorpore las moras azules usando movimiento envolvente.

Coloque una plancha sobre fuego alto hasta que esté caliente. (Para probar la temperatura, salpique un poco de agua sobre ella. Deberá deslizarse sobre la superficie.) Engrase ligeramente con aceite. Para cada hot cake, vierta alrededor de ½ taza de la mezcla sobre la plancha y cocine alrededor de 2 minutos, hasta que se formen burbujas sobre la superficie. Voltee el hot cake y cocine durante 1 ó 2 minutos más, hasta que se dore la base. Pase a una charola para hornear y mantenga calientes dentro del horno. Repita la operación hasta que se termine toda la masa. Si la masa empieza a espesarse, agregue un poco más de buttermilk para diluirla. Sirva los hot cakes muy calientes, con mucha mantequilla y miel.

DELE UN GIRO Para aderezar la miel de maple y poder disfrutar de una doble ración de moras azules, en una olla hierva lentamente 2 tazas de moras azules con una taza de miel pura de maple alrededor de 5 minutos, hasta que las frutas empiecen a soltar su jugo.

La quiche bien podría ser el platillo más versátil del almuerzo. Llena de una mezcla de huevos y revestida con una amantequillada corteza, se puede preparar con una interminable variedad de hierbas, carnes, quesos y verduras. También puede servirse caliente o a temperatura ambiente, lo que la convierte en una elección ideal cuando tenga otros platillos en el menú.

QUICHE DE TOCINO Y PORO

Masa quebrada para corteza individual (página 248)

Tocino ahumado con madera de manzano, 4 rebanadas gruesas, picadas grueso

Mantequilla sin sal, 1 cucharada

Poros, 2 pequeños, tanto la parte blanca como la verde pálida, picados

Media crema, 1 taza

Huevos grandes, 2

Sal kosher, ½ cucharadita

Pimienta recién molida, ¼ cucharadita

Nuez moscada recién molida, ⅛ cucharadita

Queso gruyère, 1 taza, rallado

RINDE 6 PORCIONES

Coloque la masa sobre una superficie de trabajo ligeramente enharinada y espolvoree la superficie con harina. (Si la masa está demasiado congelada, déjela reposar a temperatura ambiente durante unos cuantos minutos hasta que empiece a suavizarse antes de extenderla.) Extienda la masa con ayuda de un rodillo hasta obtener un círculo de aproximadamente 30 cm (12 in) de diámetro y de 3 mm (⅛ in) de grueso. Pase a un molde para tarta de 23 cm (9 in) de diámetro con base desmontable, acomodando suavemente la masa sobre el fondo y los lados del molde. Usando unas tijeras o un cuchillo pequeño recorte la masa dejando un sobrante de 1 ½ cm (½ in). Doble la masa que cuelgue sobre el molde y hacia el interior del mismo, presionándola firmemente sobre el borde del molde; la masa deberá tener doble grosor en los lados y quedar alrededor de 3 mm (⅛ in) más alta que el borde del molde. Cubra la masa con papel de aluminio y congele durante 30 minutos.

Mientras tanto, coloque una rejilla en el tercio inferior del horno y precaliente a 190°C (375°F). Coloque el molde con la pasta sobre una charola para hornear y rellene el papel de aluminio con pesas para pie o frijoles secos. Hornee alrededor de 30 minutos, hasta que la pasta esté firme y se empiece a dorar.

Mientras tanto, prepare el relleno. En una sartén sobre fuego medio fría el tocino alrededor de 6 minutos, moviendo hasta que quede dorado y crujiente. Usando una cuchara ranurada pase a toallas de papel para escurrir. Retire la grasa de la sartén y séquela con toallas de papel. Agregue la mantequilla a la sartén y derrita sobre fuego medio. Añada el poro y cocine alrededor de 10 minutos, moviendo ocasionalmente, hasta que esté suave. Pase a un plato y deje enfriar ligeramente.

Retire del horno la charola con el molde para tarta. Retire el papel de aluminio y las pesas. En un tazón bata la media crema con los huevos, sal, pimienta y nuez moscada hasta integrar por completo. Esparza el poro, tocino y queso gruyère uniformemente dentro de la corteza de pasta. Con mucho cuidado vierta la mezcla de huevo dentro de la corteza. Regrese al horno y cocine alrededor de 30 minutos, hasta que el relleno se esponje y dore. Deje enfriar ligeramente y sirva.

 DELE UN GIRO En lugar de preparar la quiche con tocino, poro y queso gruyère, hágala con jamón, chalotes y queso Cheddar. Para preparar el relleno, cocine una taza de jamón picado con 1/3 taza de chalote picado en una cucharada de mantequilla sin sal sobre fuego medio de 4 a 5 minutos, hasta que los chalotes estén suaves. Sustituya el queso Gruyère por queso Cheddar.

El cromo brillante de una cafetería a la orilla de la carretera es una señal de bienvenida para los hambrientos viajeros, y su buena reputación depende invariablemente de la calidad de su desayuno. De hecho, algunas personas irán desde lejos para chuparse los dedos con un delicioso platillo a base de un suave y jugoso filete, huevos fritos y crujientes papas ralladas fritas. A continuación presentamos una excelente versión para preparar en casa.

UN DESAYUNO DE CAFETERÍA

Papas para hornear, 3
grandes

Cebolla amarilla o blanca,
1 pequeña, finamente
picada

Sal kosher y pimienta
recién molida

Aceite de canola, 4
cucharadas

Rib-eye sin hueso o filete
de res,
4 pequeños, de 6 mm (¼
in) de grueso

Mantequilla sin sal,
2 cucharadas

Huevos grandes, 4

Pan blanco campestre,
8 rebanadas gruesas

Crema ácida para adornar

Cebollín fresco picado
para adornar

RINDE 4 PORCIONES

Para preparar las papas fritas ralladas, usando un procesador de alimentos o una batidora de mesa adaptada con el aditamento para rallar o con las raspas grandes de un rallador manual, ralle las papas sin quitarles la piel. Tomando un puñado a la vez, exprima las papas para retirar la mayor cantidad de humedad posible y coloque en un tazón grande. Agregue la cebolla, 1 ½ cucharadita de sal y ¼ cucharadita de pimienta y mezcle hasta integrar por completo. En una sartén, de preferencia de hierro fundido, sobre fuego medio-alto caliente 2 cucharadas del aceite hasta que brille. Agregue la mezcla de papa y extienda hasta formar una capa gruesa. Reduzca el fuego a medio, tape y cocine alrededor de 6 minutos, hasta que la parte inferior esté dorada y crujiente. Usando una espátula de metal ancha y grande pase las papas a un plato. Agregue el aceite restante a la sartén y caliente. Regrese las papas a la sartén, dándoles la vuelta para que el lado dorado quede arriba. Continúe cociendo, sin tapar, alrededor de 6 minutos más, hasta que el otro lado quede dorado y crujiente.

Mientras tanto, precaliente el asador del horno. Sazone la carne con sal y pimienta. Coloque los filetes en el asador y cocine alrededor de 4 minutos en total, volteándolos después de 2 minutos, hasta que estén dorados por fuera y medio-rojos por dentro, o hasta obtener el término deseado. Pase a un platón y cubra holgadamente con papel de aluminio. Apague el asador del horno.

Pase las papas a una charola para hornear y mantenga calientes en el horno apagado. Limpie la sartén con toallas de papel. Vuelva a colocar la sartén sobre fuego medio, agregue la mantequilla y caliente hasta que espume. Rompa los huevos, uno a la vez, sobre la sartén. Sazone con sal y pimienta, tape, reduzca el fuego a medio-bajo y cocine alrededor de 2 minutos, si desea huevos estrellados, hasta que las claras estén firmes. O, con mucho cuidado, dé vuelta a los huevos y cocine hasta obtener la cocción deseada. Mientras, tueste el pan.

Para servir, divida en 4 platos, en porciones iguales, las hash browns, los filetes y los huevos. Cubra las papas con la crema ácida y espolvoree con el cebollín. Acompañe con el pan tostado.

 DELE UN GIRO Para preparar papas O'Brien, agregue 1/2 taza de pimiento rojo o verde finamente picado a las papas junto con la cebolla. También puede asar chuletas de puerco en lugar de los bistecs; las ahumadas son muy buenas.

El hash de papas y corned beef, un antiguo desayuno norteamericano hecho totalmente en casa y dorado en la sartén hasta que quede crujiente, es un platillo por el que vale la pena levantarse cualquier día de la semana. Cubra cada porción con un huevo poché (la rica yema lentamente fluirá sobre el hash) y acompañe con salsa catsup y mostaza o salsa picante.

AUTÉNTICO HASH DE PAPA Y CORNED BEEF

Papas yukon o papas rojas, 2 grandes

Sal kosher y pimienta recién molida

Corned beef cocido (página 97), 2 tazas, toscamente picado

Cebolla amarilla o blanca, 1 pequeña, toscamente picada

Pimiento rojo, ½, sin semillas y toscamente picado

Huevos poché (página 247), 6

Mantequilla sin sal, 2 cucharadas

RINDE 6 PORCIONES

En una olla coloque las papas con piel, llene con agua salada hasta cubrir por 2 ½ cm (1 in). Tape la olla y lleve a ebullición sobre fuego alto. Cuando suelte el hervor retire la tapa, reduzca el fuego a medio-bajo y deje hervir alrededor de 20 minutos, hasta que se sientan suaves al picarlas con un cuchillo. Escurra, enjuague bajo el chorro de agua fría y deje enfriar por completo. Retire la piel de las papas y corte en trozos de 1 ¼ cm (½ in). Deberá tener como 2 tazas de trozos de papa.

En un procesador de alimentos mezcle las papas con el corned beef, cebolla y pimiento. Pulse unas cuantas veces, sólo hasta que los ingredientes estén toscamente picados y se integren por completo. No pique demasiado. Sazone generosamente con sal y pimienta.

Prepare los huevos poché y manténgalos calientes en agua caliente como lo indica la receta.

En una sartén grande sobre fuego medio-alto derrita la mantequilla. Divida la mezcla de corned beef en 6 porciones iguales, dándole forma de hamburguesa de 2 cm (¾ in) de grueso a cada porción. Colóquelas sobre la sartén caliente y fría alrededor de 4 minutos, hasta que se dore la parte inferior. Voltee y fría alrededor de 4 minutos más, hasta que el otro lado se dore.

Para servir coloque una pieza en cada plato. Usando una cuchara ranurada retire los huevos poché del agua caliente, uno a la vez, descansando un momento la cuchara sobre una toalla de cocina para eliminar el exceso de humedad, y coloque un huevo sobre cada pieza.

 DELE UN GIRO Para preparar un hash rojo, uno de los favoritos de Nueva Inglaterra, sustituya 1 ó 2 betabeles por una de las papas. Para obtener un hash ligeramente picante, agregue un chile jalapeño, sin semillas y picado, a la mezcla en el procesador de alimentos.

Los waffles dorados, calientes, crujientes en el exterior y suaves en su interior, son una manera espectacular de iniciar una mañana de fin de semana, ya sea que esté en pantuflas en su casa o en una mesa de una animada cafetería. Las hendiduras son perfectas para capturar la mantequilla derretida, miel de maple o el jugo de fruta fresca como el de esta compota de cerezas enmielada.

WAFFLES DE MANTEQUILLA TOSTADA CON CEREZAS

Cerezas, 2 tazas, aproximadamente 250 g (½ lb)

Miel de abeja flor de naranja u otra miel suave, 3 cucharadas

Mantequilla sin sal, 4 cucharadas

Leche entera, 2 tazas
Huevos grandes, 2, separados

Extracto puro de vainilla, 1 cucharadita

Harina de trigo simple, 2 tazas

Azúcar, 3 cucharadas

Polvo para hornear, 4 cucharaditas

Sal de mar fina, ¼ cucharadita

Aceite de canola para freír si fuera necesario

RINDE 4 PORCIONES

Parta las cerezas a la mitad retirando las semillas y colóquelas en un tazón. Agregue la miel, mezcle para integrar uniformemente y deje reposar a temperatura ambiente alrededor de 30 minutos para permitir que las cerezas suelten algo de su jugo.

Precaliente el horno a 90°C (200°F). Tenga a la mano una charola para hornear con borde. Precaliente una wafflera.

En una olla pequeña sobre fuego medio-bajo derrita la mantequilla y lleve a ebullición. Cocine alrededor de 3 minutos, moviendo ocasionalmente, hasta que se doren los sólidos de la leche en el fondo de la olla. Pase a un tazón y deje reposar para enfriar ligeramente. Agregue la leche, yemas y la vainilla y bata hasta integrar por completo.

En un tazón grande cierna la harina con el azúcar, polvo para hornear y sal. Agregue la mezcla de leche y bata sólo hasta integrar (pueden quedar unos cuantos grumos). En otro tazón, usando un batidor globo limpio o una batidora manual, bata las claras hasta que se formen picos suaves. Usando un cucharón vacíe las claras sobre la mezcla y usando el batidor globo integre con movimiento envolvente.

Si su wafflera no es antiadherente, engrase ligera y uniformemente con aceite la parrilla de acuerdo a las instrucciones del fabricante, vacíe la mezcla en la parrilla con ayuda de un cucharón, cierre la tapa y cocine alrededor de 4 minutos, hasta que el waffle esté dorado. Pase a la charola para hornear y mantenga caliente dentro del horno. Repita la operación con la mezcla restante. Sirva los waffles muy calientes acompañando con las cerezas.

 DELE UN GIRO Para obtener waffles al estilo cafetería, mezcle una cucharada de polvo para preparar leche malteada con los ingredientes secos después de cernirlos, y acompañe con el clásico dúo de mantequilla y miel pura de maple. Para preparar waffles de fresas con crema, sustituya las cerezas por fresas rebanadas rebozadas con azúcar al gusto y decore con unas cucharadas de crema batida (página 248).

Cuando era niño, los domingos en la mañana me despertaba con el irresistible aroma de los waffles dorándose.

Ese cálido aroma de mantequilla todavía puede hacerme saltar de la cama y estar listo para ingerir un plato lleno de waffles, con las hendiduras repletas de mantequilla derretida y miel de maple. Preparar waffles fue una de las primeras cosas que mis hermanos y yo aprendimos a hacer solos. Nos peleábamos sobre quién iba a servir la mezcla espesa, ¡no demasiada!, a la wafflera y nos fascinaba que la mezcla húmeda se expandiera mágicamente para convertirse en un dulce y crujiente waffle. Se nos hacía una eternidad hasta que el vapor empezaba a dejar de salir de la wafflera y la luz roja se apagaba, la alegre señal de que el desayuno finalmente estaba listo. Ahora que soy adulto, sólo soy ligeramente menos impaciente. ¡Pásame la miel, por favor!

Desde una modesta cafetería hasta un restaurante lujoso, las omelets forman ahora parte del menú en los desayunos y almuerzos norteamericanos. Con unos cuantos movimientos ágiles de la muñeca es fácil transformar unos huevos en el principal platillo matutino, tan ligero como el aire. Esta receta rinde para hacer una gran omelet esponjosa rellena de queso fundido y hierbas frescas, ideal para compartir.

OMELET A LAS HIERBAS Y QUESO BRIE

Huevos grandes, 4

Crema dulce para batir, 2 cucharadas

Sal kosher y pimienta recién molida

Perejil liso fresco, 1 cucharadita, finamente picado

Cebollín fresco, 1 cucharadita, finamente picado

Perifollo o estragón fresco, 1 cucharadita, finamente picado

Mantequilla sin sal, 1 cucharada

Queso brie, 90 g (3 oz), finamente rebanado

RINDE 2 PORCIONES

En un tazón mezcle los huevos con la crema, ¼ cucharadita de sal y un poco de pimienta y bata sólo hasta integrar. No bata de más. Agregue el perejil, cebollín y perifollo y bata suavemente para integrar.

En una sartén antiadherente sobre fuego medio derrita la mantequilla hasta que espume y la espuma se empiece a deshacer. Incline la sartén para que el fondo se cubra uniformemente con la mantequilla.

Agregue la mezcla de huevos a la sartén y cocine alrededor de 30 segundos, hasta que los huevos se empiecen a cuajar en las orillas. Usando una espátula resistente al fuego, levante las orillas cocidas y llévelas hacia el centro, inclinando ligeramente la sartén para que el huevo líquido baje hacia el fondo; cocine durante 30 segundos. Repita la operación dos veces más. Cuando los huevos estén casi totalmente cuajados aunque ligeramente húmedos en la superficie, extienda las rebanadas de queso brie sobre la mitad de la omelet.

Usando la espátula, doble la parte de la omelet que no está cubierta sobre la otra mitad para formar una media luna. Cocine la omelet durante 30 segundos más y deslícela a un platón de servicio precalentado. Pártala a la mitad y sirva de inmediato.

 DELE UN GIRO Saltee ½ manzana sin piel y partida en cuadritos en una cucharada de mantequilla sin sal hasta que esté suave y crujiente, y agregue a la omelet con el queso Brie. O sustituya el Brie por queso Cheddar y use una cebollita de cambray finamente picada, tanto las partes blancas como las verdes, en lugar de las hierbas.

Los duraznos jugosos de dulce néctar, son una de las alegrías de las comidas del verano. En este platillo, inspirado en la comida del sur de los Estados Unidos, se encuentran dentro de crujientes crepas de cornmeal y calentados al horno hasta que estén muy calientes, para crear un desayuno de larga sobremesa. Una cucharada de cremoso queso mascarpone y una espolvoreada de azúcar glass les proporciona el perfecto toque final.

CREPAS DE DURAZNO CON CREMA

Leche entera, 1 taza

Harina de trigo simple, ½ taza

Cornmeal amarillo, de preferencia molido en molino de piedra, o polenta, ½ taza

Huevos grandes, 2

Mantequilla sin sal, 5 cucharadas, derretida

Azúcar granulada, 1 cucharadita más la necesaria, al gusto

Sal de mar fina, ¼ cucharadita

Duraznos, 4, sin hueso y partidos en rebanadas delgadas

Jugo de limón amarillo fresco, 1 cucharada

Aceite de canola para cocinar

Queso mascarpone, ½ taza, a temperatura ambiente

Crema dulce para batir, aproximadamente 2 cucharadas

Azúcar glass para adornar

RINDE 4 PORCIONES

Para preparar la mezcla para las crepas, mezcle en una licuadora la leche, harina, cornmeal, huevos, 2 cucharadas de la mantequilla, la cucharadita de azúcar granulada y la sal. Procese hasta obtener una mezcla tersa. Deje reposar a temperatura ambiente alrededor de 30 minutos. Mientras tanto, en un tazón mezcle los duraznos con el jugo de limón y azúcar al gusto y reboce los duraznos para que se cubran uniformemente. Deje reposar a temperatura ambiente alrededor de 30 minutos para permitir que los duraznos suelten algo de su jugo.

Engrase ligeramente con aceite una sartén antiadherente de 18 cm (7 in) y coloque sobre fuego medio-alto hasta que esté caliente. Vierta ¼ taza de la mezcla de harina a la sartén e inclínela para que la base se cubra uniformemente. Rocíe un poco de la mezcla en los hoyos, si los hubiera. Cocine alrededor de un minuto, hasta que se dore la parte inferior. Voltee y cocine por el otro lado alrededor de un minuto, hasta que se dore. Pase a un plato. Repita la operación con la mezcla restante agregando más aceite a la sartén cuando sea necesario y apilando las crepas, separándolas con papel encerado o papel encerado para hornear, a medida que vayan quedando listas. Deberá tener 10 crepas, 2 más de las que necesita (las crepas adicionales son para dar un gusto a la persona que cocina).

Precaliente el horno a 200°C (400°F). Barnice ligeramente una charola para hornear con borde con un poco de las 3 cucharadas de mantequilla restantes. En un tazón pequeño y, con ayuda de un tenedor, integre el queso mascarpone con suficiente crema para formar una mezcla cremosa; integre azúcar granulada al gusto. Reserve para servir.

Coloque una crepa sobre una superficie de trabajo. Usando una cuchara coloque una octava parte de los duraznos en una capa uniforme sobre la mitad de la crepa. Doble la otra mitad para cubrir los duraznos. Vuelva a doblar la crepa a la mitad para formar un triángulo. Coloque sobre la charola para hornear preparada. Repita la operación para hacer 7 crepas más y usar todos los duraznos. Barnice la parte superior de las crepas rellenas con la mantequilla restante. Hornee alrededor de 5 minutos, sólo hasta que se calienten por completo. Para servir, coloque 2 crepas en cada plato. Corone las crepas con una cucharada de crema de mascarpone y cierna azúcar glass sobre las crepas. Sirva de inmediato.

 DELE UN GIRO Durante el verano, cambie los duraznos por otra fruta con hueso como nectarina, chabacano o ciruela. Los plátanos rebanados, ligeramente salteados en mantequilla con un poco de azúcar mascabado ¡son deliciosos para otra época del año!

La frittata italiana, que se parece a la quiche francesa pero sin la corteza, es un tipo de comida informal, por lo general, servida directamente de la sartén en la que se cocinó. Firme y dorada, nos demuestra como unos cuantos huevos, un manojo de verduras y un poco de queso pueden convertirse en un platillo sencillo pero copioso para empezar el día.

FRITTATA DE PAPAS Y PIMIENTOS

Papas Yukon amarillas, 2

Aceite de oliva, 2 cucharadas

Cebolla amarilla o blanca, ½ taza, picada

Pimiento rojo, 1

Huevos grandes, 8

Romero fresco, 1 cucharadita, finamente picado

Sal kosher, ¾ cucharadita

Pimienta recién molida, ¼ cucharadita

Queso parmesano, 3 cucharadas, recién rallado

RINDE DE 4 A 6 PORCIONES

Parta las papas con piel en rebanadas delgadas. En una sartén que se pueda meter al horno, caliente el aceite sobre fuego medio. Agregue las papas y deles la vuelta para cubrir con el aceite. Tape y cocine cerca de 20 minutos, moviendo ocasionalmente, hasta suavizar. Destape e integre la cebolla. Cocine cerca de 5 minutos, moviendo ocasionalmente, hasta que la cebolla esté suave y las papas estén ligeramente doradas.

Mientras tanto, precaliente el asador del horno. Ponga el pimiento en una charola para hornear y ase cerca de 12 minutos, volteando ocasionalmente, hasta que esté uniformemente quemado. Pase a una superficie de trabajo y deje enfriar hasta que lo pueda tocar. Deje el asador encendido. Retire la piel ennegrecida, deseche el tallo, venas y semillas; pique el pimiento.

Integre el pimiento asado con la mezcla de las papas en la sartén. En un tazón bata los huevos con el romero, sal y pimienta. Vierta la mezcla de huevo sobre la mezcla de las papas y cocine sobre fuego medio hasta que las orillas empiecen a cuajarse. Usando una espátula térmica levante las orillas de la frittata e incline la sartén para permitir que el huevo líquido de la superficie se vaya para abajo. Continúe cocinando cerca de 4 minutos más, levantando ocasionalmente la frittata e inclinando la sartén, hasta que la superficie se cuaje.

Espolvoree la frittata con el queso parmesano. Ponga debajo del asador del horno alrededor de un minuto, hasta que la frittata se esponje y dore. Corte en rebanadas y sirva caliente, tibia o a temperatura ambiente.

 DELE UN GIRO Las frittatas son versátiles y permiten experimentar con muchas clases de verduras y quesos. Para hacer una frittata de espárragos y queso de cabra, omita las papas, cebolla, pimiento y queso parmesano. En su lugar, blanquee los espárragos, corte en trozos de 2 ½ cm (1 in) y saltee en aceite de oliva solamente hasta que estén bien calientes. Agregue un chalote picado y cocine hasta suavizar. Añada la mezcla de huevo. Justo antes de cocinarla, cubra la frittata con trocitos de queso de cabra fresco.

Ningún desayuno puede ser más casero que éste: huevos revueltos esponjosos, jamón salado con gravy con infusión de café, cremosas hojuelas de sémola de maíz con queso y bisquets hojaldrados de buttermilk. Coordinar todos los ingredientes lo hará convertirse en un cocinero rápido. Lea toda la receta antes de comenzar a prepararla para que todos los pasos puedan hacerse con facilidad.

UN DESAYUNO SUREÑO

Bisquets de Buttermilk (página 162)

Leche entera, 1½ taza

Hojuelas de sémola blanca de maíz estilo antiguo, de preferencia molida en molino de piedra, ¾ taza

Sal kosher, ½ cucharadita

Mantequilla sin sal, 5 cucharadas

Ajo, 1 diente, finamente picado

Jamón ahumado, 1 rebanada gruesa de aproximadamente 675 g (1¼ lb)

Café recién hecho, ¾ taza

Azúcar, 1 cucharadita

Huevos grandes, 8

Crema espesa o leche entera, ⅓ taza

Pimienta recién molida, ⅛ cucharadita

Queso Cheddar fuerte, ½ taza, rallado

RINDE 4 PORCIONES

Prepare los bisquets siguiendo las instrucciones. Mientras los bisquets se están horneando, empiece a cocinar la sémola. En un tazón refractario bata 2 tazas de agua con la leche, hojuelas y ¼ cucharadita de sal. Ponga agua en una olla hasta obtener una profundidad de 2 ½ cm (1 in) y hierva lentamente. Ponga el tazón sobre la olla (sin tocar el agua). Cocine la sémola de 30 a 60 minutos dependiendo de las hojuelas y de las instrucciones del paquete, moviendo ocasionalmente, hasta que esté suave y se haya espesado como un potaje.

Mientras que la sémola se está cocinando, en una sartén grande y gruesa de preferencia de fierro, derrita una cucharada de la mantequilla sobre fuego medio. Agregue el ajo y cocine durante un minuto, moviendo ocasionalmente, hasta que aromatice pero no se dore. Pase la mantequilla y el ajo a un tazón pequeño y reserve.

En la misma sartén, cuando a la sémola le falten 10 minutos para estar lista, derrita otra cucharada de mantequilla sobre fuego medio-alto. Agregue el jamón y cocine 3 minutos, hasta que la parte inferior esté dorada. Voltee y dore por el otro lado durante 2 minutos más. Pase el jamón a un platón y cubra para mantener caliente. Vierta la grasa de la sartén dejando en ella solamente una cucharada. Agregue el café y el azúcar y lleve a ebullición sobre fuego alto, raspando los trocitos dorados que queden en la base con ayuda de una cuchara de madera. Cocine durante 3 minutos, hasta que el líquido se reduzca a la mitad (será un "gravy" ligero). Retire del fuego.

Mientras el gravy está hirviendo lentamente, haga los huevos revueltos. En un tazón bata los huevos con la crema, el ¼ cucharadita restante de sal y la pimienta sólo hasta mezclar. En una sartén antiadherente sobre fuego medio-bajo caliente las 3 cucharadas restantes de mantequilla. Vierta los huevos y cocine cerca de 20 segundos, hasta que se empiecen a cuajar. Revuelva con una espátula térmica, retirando los huevos que se peguen al fondo y lados de la sartén y llevándolos hacia el centro, usando movimiento envolvente. Repita la operación hasta que los huevos estén ligeramente cuajados y húmedos. Retire la sartén del fuego, deje los huevos reposar en la sartén cerca de un minuto para permitir que el calor los acabe de cocinar.

Cuando la sémola esté lista, agregue la mezcla reservada de mantequilla y ajo y el queso y mezcle. Para servir, rebane el jamón y divida los huevos, jamón y sémola entre platos individuales. Rocíe el jamón con el gravy. Sirva caliente acompañando con los bisquets.

Los cocineros del sur de los Estados Unidos saben preparar comidas sustanciosas y lo hacen muy bien a la hora del desayuno.

En el sur de los Estados Unidos el desayuno es algo más que solamente una comida, es un estilo de vida. Los sureños comprenden la importancia de zamparse un copioso desayuno temprano en la mañana para estar listos a recibir lo que el día les depare. La primera vez que fui a Nashville, un amigo me insistió que fuéramos a un café famoso que se encuentra en las afueras de la ciudad para tomar un desayuno de jamón ahumado con gravy, sémola cremosa, huevos estrellados, mermelada de fresa hecha en casa y, por supuesto, una montaña de bisquets hojaldrados y ligeros como plumas. Con gula comimos de todo, saboreando la yuxtaposición de sabores y texturas, dulce y salado, crujiente y amantequillado, mientras dejábamos limpios nuestros platos. Y luego, aunque ya estábamos satisfechos... ¡pedimos otro plato de bisquets calientes!

Los cocineros de muchos países del mundo usan el mismo método para recuperar el pan del día anterior: lo sumergen en huevo y leche o crema y después lo fríen rápidamente en una sartén. Nuestro pan francés de la actualidad es un descendiente del *pain perdu* (literalmente "pan perdido"), popular en las cocinas de Nueva Orleans, en los Estados Unidos. Esta exquisita versión se adorna con plátanos caramelizados.

PAN FRANCÉS CON PLÁTANO CARAMELIZADO

Huevos grandes, 6

Media crema o leche entera, 1 taza

Azúcar granulada, 1 cucharada

Extracto puro de vainilla, 1 cucharadita

Ralladura fina de naranja, de 1 naranja grande

Nuez moscada recién rallada, 1/8 cucharadita

Pan blanco de caja del día anterior, 6 rebanadas

Aceite de canola para cocinar

Plátanos firmes pero maduros, 3

Mantequilla sin sal, 2 cucharadas

Azúcar morena, 3 cucharadas compactas

Jugo fresco de naranja, 1/2 taza o el necesario

Ron añejo, 2 cucharadas (opcional)

RINDE 4 PORCIONES

Para hacer el pan francés, precaliente el horno a 175°C (350°F). Tenga lista una charola para hornear con borde. En un tazón grande y poco profundo bata los huevos con la media crema, azúcar granulada, vainilla, ralladura de naranja y nuez moscada. Corte las rebanadas de pan a la mitad, agregue a la mezcla de huevo y voltee con cuidado para cubrir uniformemente. Deje reposar durante un minuto, hasta que el pan haya absorbido parte de la mezcla de huevo.

Ponga una plancha para asar sobre fuego medio-alto hasta que esté caliente. Engrase ligeramente la plancha con aceite. Retire el pan de la mezcla de huevo, dejando que el exceso de líquido se escurra en el tazón y coloque sobre la plancha caliente. Cocine cerca de 2 minutos, hasta que la parte inferior esté dorada. Voltee y cocine por el otro lado cerca de 2 minutos más, hasta que esté dorado. Pase a la charola para hornear y meta al horno durante 10 minutos, hasta que el centro del pan se caliente completamente pero todavía esté húmedo.

Mientras tanto, prepare los plátanos caramelizados. Retire la cáscara de los plátanos y rebane diagonalmente. En una sartén grande sobre fuego medio-alto derrita la mantequilla. Agregue las rebanadas de plátano y cocine de 2 a 3 minutos, volteando con cuidado ocasionalmente, hasta que empiecen a dorarse. Espolvoree con el azúcar morena, cocine cerca de un minuto, hasta que se derrita el azúcar. Vierta lentamente la ½ taza de jugo de naranja y el ron, si lo usa, y cocine durante un minuto, hasta que el líquido se haya reducido ligeramente. Si la salsa queda muy espesa, agregue un poco más de jugo de naranja hasta obtener la consistencia deseada. Sirva el pan francés muy caliente cubierto con las rebanadas de plátano caramelizadas.

 DELE UN GIRO Las rebanadas de manzanas, peras, nectarinas o duraznos quedan deliciosas cuando se caramelizan en mantequilla y azúcar. Solamente sustituya la misma cantidad de cualquier fruta que usted prefiera en lugar de los plátanos. Si lo desea, puede poner el mismo tipo de jugo que la fruta que va a usar como jugo de manzana o néctar de durazno.

Estos hot cakes con aroma de especias le recordarán aquellos días de invierno que pasó cortando galletas de jengibre sobre la cubierta de su cocina espolvoreada con harina. Ligeros y esponjosos y cubiertos con mantequilla y miel de maple, estas delicias para el desayuno generalmente desaparecen tan rápido como usted los pueda hacer, así es que, esté listo para batir una segunda tanda.

HOT CAKES DE JENGIBRE

Harina de trigo simple, 1¼ taza

Polvo para hornear, 1 cucharadita

Bicarbonato de sodio, ½ cucharadita

Sal kosher, ½ cucharadita

Canela molida, 1 cucharadita

Jengibre molido, ¾ cucharadita

Clavos de olor molidos, ⅛ cucharadita

Huevos grandes, 2

Azúcar mascabado, ¼ taza compacta

Melaza ligera sin azufre, 2 cucharadas

Mantequilla sin sal, 2 cucharadas derretida, más la necesaria para acompañar

Café recién hecho, ¼ taza, a temperatura ambiente

Aceite de canola para cocinar

Miel pura de maple para acompañar

RINDE DE 4 A 6 PORCIONES

Precaliente el horno a 100°C (200°F). Sobre un tazón grande cierna la harina con el polvo para hornear, bicarbonato de sodio, sal, canela, jengibre y clavos de olor. En un tazón mediano bata los huevos, azúcar, melaza, las 2 cucharadas de mantequilla derretida, café y ½ taza de agua. Vierta la mezcla de huevo sobre la de harina y revuelva sólo hasta integrar.

Coloque una plancha para asar sobre fuego alto hasta que esté caliente. (Para probar si está caliente, salpique un poco de agua sobre la plancha y deberá resbalar por la superficie). Engrase la plancha ligeramente con aceite. Para hacer cada hot cake, vierta aproximadamente ¾ taza de la mezcla sobre la plancha y cocine cerca de 2 minutos, hasta que se formen burbujas en la superficie. Voltee los hot cakes y cocine durante 1 ó 2 minutos más, hasta que la parte inferior esté dorada. Pase a una charola para hornear y mantenga calientes en el horno. Repita la operación hasta que toda la mezcla se haya usado.

Sirva los hot cakes muy calientes acompañando con mucha mantequilla y miel.

 DELE UN GIRO Cubra los hot cakes con fruta del otoño caramelizada como manzanas o peras. Retire la piel y el corazón de 3 manzanas o peras, rebane finamente, espolvoree con 2 cucharadas de azúcar y ⅛ cucharadita de canela molida y saltee en 2 cucharadas de mantequilla sin sal alrededor de 4 minutos, hasta que estén suaves y doradas.

Cuando se es niño, los mejores roles de canela son los ricos espirales esponjosos entrelazados con azúcar y canela, trocitos de suaves nueces y glaseados con vainilla azucarada, justamente como éstos. Pero, los comíamos en raras ocasiones. Una de las grandes ventajas de ser adulto es que uno puede hacer sus roles de canela en cualquier momento que lo desee.

ROLES DE CANELA

Leche entera,
1 taza más 2 cucharadas

Levadura seca activa,
1 sobre
(2½ cucharaditas)

Huevos grandes, 3, a
temperatura ambiente

Azúcar granulada, ¼ taza

Sal kosher, 2 cucharaditas

Harina simple, 4½ tazas

Mantequilla sin sal,
10 cucharadas, a
temperatura ambiente

**Aceite de canola para el
tazón**

Azúcar mascabado,
1 taza compacta

Canela molida,
1 cucharada

Nueces, ½ taza, tostadas y
picadas (opcional)

Azúcar glass,
1 taza

Extracto puro de vainilla,
2 cucharaditas

RINDE 10 ROLES

En una olla pequeña sobre fuego medio, caliente la taza de leche sólo hasta que esté caliente al tacto. Vierta en el tazón de una batidora de mesa. Espolvoree la levadura sobre la leche, deje reposar durante 2 minutos, hasta suavizar, y bata hasta que la levadura se disuelva. Integre los huevos, azúcar granulada y sal, batiendo hasta que el azúcar se disuelva. Agregue 2 tazas de harina y mezcle con una cuchara de madera hasta que la mezcla esté húmeda. Corte 6 cucharadas de la mantequilla en trozos y añada al tazón. Adapte la batidora con el gancho para amasar y amase la mezcla a velocidad media-baja añadiendo la harina restante, ½ taza a la vez, hasta que la masa se separe de los lados del tazón. Reduzca la velocidad a baja, continúe amasando cerca de 5 minutos, hasta que la masa esté suave y elástica. Engrase ligeramente con aceite un tazón grande. Forme una bola con la masa, ponga en el tazón, dele la vuelta para engrasarla con el aceite y aplane la superficie. Tape con plástico adherente y deje reposar entre 1 ½ y 2 horas a temperatura ambiente, hasta que suba y se duplique.

Mientras tanto, engrase con mantequilla un molde para hornear de 25 x 32 cm (9 x 13 in). En un tazón pequeño mezcle el azúcar con la canela, desbaratando los grumos con los dedos.

En una superficie de trabajo ligeramente enharinada extienda la masa haciendo un rectángulo de 22 x 38 cm (15 x 10 in). Unte con 2 cucharadas de mantequilla. Espolvoree uniformemente con la mezcla de azúcar y canela y las nueces, si las usa, dejando sin cubrir un margen de 2 ½ cm (1 in) de uno de los lados largos. Presione ligeramente las nueces para que se adhieran. Empezando por el lado largo cubierto con el relleno, enrolle la masa apretadamente como un niño envuelto. Pellizque la orilla para sellar pero deje ambos lados abiertos. Usando un cuchillo filoso corte el rollo transversalmente en 10 rebanadas iguales, cada una de aproximadamente de 3 ¾ cm (1 ½ in) de grueso. Acomode en el molde preparado, con el lado cortado hacia abajo. Tape con plástico adherente y deje reposar a temperatura ambiente cerca de una hora, hasta esponjar. (También puede cubrir firmemente con plástico adherente y refrigerar hasta por 24 horas; debe estar a temperatura ambiente durante 30 minutos antes de hornear.)

Precaliente el horno a 180°C (375°F). Derrita las 2 cucharadas de mantequilla restantes y barnice los roles. Hornee de 25 a 30 minutos, hasta dorar. Deje los roles enfriar en el molde de 10 a 15 minutos. Mientras tanto, cierna el azúcar glass hacia un tazón e integre las 2 cucharadas de leche y la vainilla, batiendo. Unte sobre los roles y sirva.

Los blintzes llegaron a Estados Unidos con los inmigrantes judíos del este de Europa. Las envolturas tipo crepa se pueden rellenar con una gran variedad de ingredientes, desde champiñones hasta carne. Pero esta versión con queso y acompañadas con compota de fruta y crema ácida es la elección más popular para las mañanas. El agua mineral airea y aligera la mezcla.

BLINTZES DE QUESO

Harina de trigo simple, 1¼ taza

Leche entera, ¾ taza

Agua mineral, ⅔ taza

Huevos grandes, 2 enteros más 2 yemas

Mantequilla sin sal, 5 cucharadas, derretida

Azúcar, 8 cucharadas más 1 cucharadita

Sal fina de mar, ⅛ cucharadita

Aceite de canola para cocinar

Queso fresco o ricotta, 2 tazas (500 g/1 lb)

Extracto puro de vainilla, 1 cucharadita

Ralladura fina de limón, de 1 limón amarillo

Ciruelas, 500 g (1 lb), sin hueso y en rebanadas

Jugo fresco de limón, 1 cucharada

Crema ácida para acompañar

RINDE 6 PORCIONES

Para hacer la mezcla de los blintzes, mezcle en una licuadora la harina, leche, agua mineral, huevos enteros, 2 cucharadas de la mantequilla, 1 cucharadita de azúcar y sal. Pulse hasta suavizar. Deje a temperatura ambiente cerca de 30 minutos.

Engrase ligeramente con aceite una sartén antiadherente de 18 cm (7 in) y coloque sobre fuego medio-alto hasta calentar. Vierta ¼ taza de la mezcla en la sartén e inclínela para cubrir uniformemente la base. Rocíe un poco de la mezcla sobre los orificios que se formen. Cocine alrededor de un minuto, hasta que la parte de abajo se dore. Voltee y cocine del otro lado hasta dorar. Pase a un plato. Repita la operación con la mezcla restante, agregando más aceite a la sartén cuando sea necesario y apilando los blintzes cuando vayan estando listos, separándolos con papel encerado. Le deberán salir 12 blintzes.

Precaliente el horno a 175°C (350°F). Para hacer el relleno, en un tazón mezcle el queso ricotta con 6 cucharadas del azúcar, las yemas de huevo, vainilla y ralladura de limón. Engrase ligeramente con mantequilla una charola para hornear con borde. Ponga un blintz sobre la superficie de trabajo, poniendo el lado moteado hacia arriba. Ponga cerca de 2 cucharadas del relleno de queso justo debajo del centro del blintz, doble los extremos de los lados hacia adentro y enrolle desde abajo cubriendo el relleno. Coloque en la charola para hornear, con el lado de la unión hacia abajo. Repita la operación con los blintzes y el relleno restantes. (Los blintzes se pueden preparar hasta este punto con 2 horas de anticipación, tapar y refrigerar). Barnice los blintzes con la mantequilla restante. Hornee cerca de 10 minutos (o un poco más si los blintzes estaban refrigerados), hasta que estén completamente calientes.

Mientras tanto, en una olla sobre fuego medio mezcle las ciruelas rebanadas con las 2 cucharadas restantes de azúcar y el jugo de limón y cocine alrededor de 5 minutos, moviendo ocasionalmente, hasta que las ciruelas estén calientes. Retire del fuego y mantenga caliente. Para servir, ponga 2 blintzes rellenos en cada plato. Adorne con una cucharada de crema ácida y una cucharada de compota de ciruela. Sirva de inmediato.

 DELE UN GIRO Sustituya las ciruelas por 2 tazas de moras azules o cerezas sin hueso. O no les ponga la compota y sirva los blintzes con una cucharada de mermelada. También puede freír los blintzes ya rellenos en mantequilla en lugar de hornearlos.

Un elegante desayuno clásico, los huevos benedictinos, tienen un pasado confuso pero todas las historias los conectan con la alta sociedad. Existen muchas variaciones sabrosas, cada una adornando a los sencillos huevos poché sobre un english muffin con una exquisita salsa holandesa y otros ingredientes, como el tocino crujiente acompañado de espinacas salteadas que se presenta en esta versión.

HUEVOS FLORENTINA AL LIMÓN

Yemas de huevo, 4

Jugo fresco de limón amarillo,
1 cucharada

Sal kosher y pimienta blanca molida

Mantequilla sin sal,
1 taza más 1 cucharada

Espinacas, 600 g (1¼ lb)

Chalotes, 3 cucharadas,
finamente picados

Tocino ahumado en madera de manzano, 8
rebanadas gruesas, cortadas transversalmente a la mitad

English muffins, 4, partidos a la mitad

Huevos poché
(página 247), 8

RINDE 4 PORCIONES

Para hacer la salsa holandesa, en una licuadora mezcle las yemas de huevo, una cucharada de agua, el jugo de limón, ¼ cucharadita de sal y ⅛ cucharadita de pimienta blanca. En una olla pequeña sobre fuego medio derrita una taza de la mantequilla. Con la licuadora funcionando, agregue lentamente la mantequilla derretida a través del agujero de la tapa y continúe mezclando hasta que la salsa esté espesa y suave. Pruebe y rectifique la sazón. Si la salsa está muy espesa agregue un poco más de agua para aligerarla. Pase la salsa a un tazón, tape y reserve.

Corte el tallo de las espinacas, enjuague bien pero no las seque y pique grueso. En una olla grande sobre fuego medio derrita la cucharada restante de la mantequilla. Agregue los chalotes y cocine cerca de 2 minutos, moviendo ocasionalmente, hasta suavizar. Integre las espinacas, tape y cocine cerca de 3 minutos, hasta que las espinacas estén suaves. Sazone al gusto con sal y pimienta blanca. Escurra la mezcla de las espinacas en un colador, presionando con cuidado para retirar el exceso del líquido. Regrese a la olla, tape y reserve.

En una sartén grande sobre fuego medio fría el tocino cerca de 6 minutos, volteando una sola vez, hasta que esté dorado y crujiente. Pase las rebanadas a toallas de papel para escurrir. Mientras tanto, precaliente el asador del horno. Ponga los muffins, con el lado cortado hacia arriba, sobre una charola para hornear. Caliente alrededor de un minuto, hasta que estén tostados. Haga los huevos poché y mantenga en agua caliente como se indica en las instrucciones.

Para servir, coloque 2 mitades de los muffins tostados, con el lado cortado hacia arriba, en cada plato. Cubra las 2 mitades con una cuarta parte de las espinacas y 4 rebanadas de tocino. Trabajando con un huevo a la vez, saque los huevos poché del agua caliente con ayuda de una cuchara ranurada, descansando la cuchara un momentito sobre una toalla de papel para retirar el exceso de agua y ponga un huevo sobre cada porción de tocino. Usando una cuchara cubra los huevos con aproximadamente 3 cucharadas de salsa holandesa. Sirva de inmediato llevando a la mesa la salsa holandesa restante.

 DELE UN GIRO Para preparar los clásicos huevos benedictinos, sustituya las espinacas y el tocino por tocino canadiense o jamón. Para preparar huevos Monterrey, cubra los muffins con carne de cangrejo, brevemente salteada en mantequilla, en lugar de las espinacas y el tocino. Y para hacer huevos Blackstone, cambie las espinacas por rebanadas de jitomate.

La salsa holandesa es definitivamente excelente: a cualquier cosa que se le añada, inmediatamente mejorará.

Hace mucho tiempo trabajé en un restaurante que estaba increíblemente lleno a la hora del brunch los fines de semana. Los huevos florentinos hechos con un English muffin tostado cubierto con espinacas salteadas en mantequilla, tocino crujiente, un huevo poché y rica salsa holandesa al limón, y sus conocidos y queridos primos los huevos benedictinos, siempre eran lo que más se pedía. Yo tenía que hacer la salsa holandesa rápido y no importaba cuanta cantidad hiciera, la cocina siempre necesitaba más. Era la época que no había procesadores de alimentos, así es que me convertí en un experto batiendo a mano aproximadamente uno o dos litros de salsa a la vez. A pesar de haber preparado más órdenes de huevos benedictinos y de sus primos de las que puedo contar, este platillo todavía me atrae con su elegante combinación de una clásica y sofisticada salsa cubriendo un simple y humilde huevo poché.

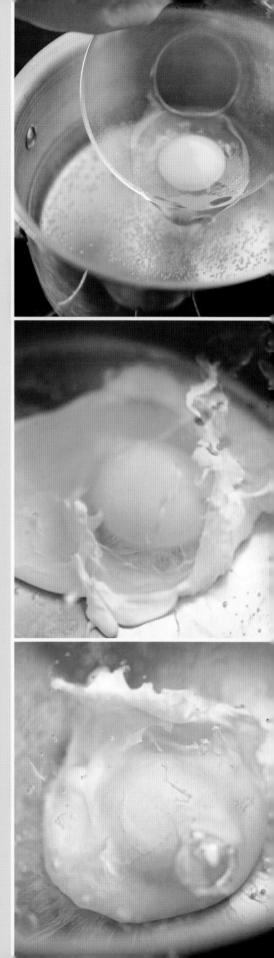

Se podrá preguntar si vale la pena hacer sus propias donas. Solamente una mordida de estas maravillas fritas y glaseadas con azúcar le demostrará que sí. El sabor de especias le traerá recuerdos de las frescas mañanas de otoño y de desayunos tranquilos en pijamas de franela. También son deliciosas cuando se cubren con canela y azúcar en lugar del glaseado.

DONAS CON JUGO DE MANZANA Y ESPECIAS

Sidra de manzana, 1 taza

Harina de trigo simple, 3¼ cups, tazas más la necesaria

Azúcar granulada, 1 taza

Polvo para hornear, 2 cucharaditas

Bicarbonato de sodio, 1 cucharadita

Canela molida, ½ cucharadita

Nuez moscada recién rallada, ½ cucharadita

Sal kosher, ½ cucharadita

Mantequilla sin sal fría, 2 cucharadas en rebanadas delgadas

Buttermilk o yogurt, ½ taza

Huevos grandes, 2

Extracto puro de vainilla, 1 cucharadita

Aceite de canola para fritura profunda

Azúcar glass, 1½ taza, cernida

RINDE 1 DOCENA DE DONAS Y 1 DOCENA DE CENTROS

En una olla pequeña sobre fuego alto ponga la sidra a hervir. Cocine de 8 a 10 minutos, hasta que se haya reducido a ½ taza. Deje enfriar completamente. Sobre un tazón cierna las 3 ¼ tazas de harina, azúcar granulada, polvo para hornear, bicarbonato de sodio, canela, nuez moscada y sal. Agregue la mantequilla. Usando una batidora manual a velocidad baja bata hasta que la mezcla forme migas finas. En otro tazón bata el buttermilk con los huevos, ¼ taza de la sidra reducida y la vainilla hasta integrar. Agregue la mezcla de buttermilk con la mezcla de la harina y mezcle hasta que obtener una masa suave. Extienda sobre una superficie de trabajo enharinada y amase cerca de un minuto, hasta suavizar, añadiendo hasta ¼ taza más de harina si fuera necesario. Forre una charola para hornear con borde con papel encerado. Pase la masa a la charola para hornear y extiéndala dándole palmaditas hasta obtener una capa de aproximadamente 1 cm (½ in) de grueso. Congele durante 15 minutos, hasta que esté ligeramente firme.

Vierta aceite en una olla gruesa y profunda hasta obtener una profundidad de 7 ½ cm (3 in) y caliente sobre fuego alto hasta obtener una temperatura de 175°C (350°F) en un termómetro para fritura profunda. Coloque una rejilla grande de metal sobre otra charola para hornear con borde y deje junto a la estufa. Vuelva a colocar la masa sobre la superficie de trabajo. Usando un cortador para donas de 7 ½ cm (3 in) de diámetro y sumergiendo el cortador en harina antes de cada corte, corte todas las donas que le sea posible, presionando firmemente hace abajo y levantando derecho hacia arriba. Pase las donas y los centros a la charola para hornear forrada con papel encerado. Junte los recortes de la masa y vuelva a extender y cortar más donas.

Usando una espátula de metal ponga unas cuantas donas en el aceite caliente, asegurándose de no poner demasiadas donas en la olla. Fría las donas en fritura profunda alrededor de 3 minutos, volteándolas una vez a la mitad del proceso, hasta que estén doradas. Usando una espumadera de metal pase a la rejilla para escurrir. Repita la operación hasta que todas las donas se hayan freído, añada los centros al aceite y fría alrededor de 2 minutos, hasta que estén dorados. Deje enfriar.

Para preparar el glaseado, en una olla pequeña sobre fuego alto hierva el ¼ taza restante de la sidra reducida. Agregue el azúcar glass y bata hasta disolver. Retire del fuego. Sujetando cada dona o centro por las orillas, sumerja brevemente, con el lado suave hacia abajo, en el glaseado, dejando que el exceso escurra de vuelta a la olla. Ponga en la rejilla, con el lado del glaseado hacia arriba, y deje reposar alrededor de 10 minutos, hasta que el glaseado se cuaje. Sirva a temperatura ambiente.

COMIDAS LIGERAS

Durante la mayoría de mis días de escuela, cuando la campana del mediodía tocaba, yo me trepaba en mi bici y salía disparado a mi casa a comer. Generalmente me esperaba un sándwich recién hecho. En el camino a casa siempre trataba de adivinar que me había preparado mi mamá de lo que me parecía ser su interminable repertorio: un empalagoso sándwich de crema de cacahuate con mermelada, un sándwich caliente de atún o, mi favorito, un sándwich de queso derretido que sumergía en sopa cremosa de jitomate. En los días de invierno, cambiábamos los sándwiches por tazones de sustanciosas sopas. Pocos almuerzos son más agradables que una cremosa sopa de almejas o una sopa de pollo con dumplings. Las sopas y los sándwiches están bien representados en este capítulo, pero también encontrará sustanciosas y reconfortantes ensaladas incluyendo dos clásicas del estado de California en donde yo nací: la ensalada Cobb (la fundamental ensalada del chef), y la ensalada de cangrejo Louis (mi favorita de siempre). Como diría mi mamá: "¡No olvides lavarte las manos antes de comer!" Y como yo digo: "¡Éntrale!"

El escritor francés Proust tomaba su té con "madeleines", pero para muchos americanos una mordida de un sándwich de ensalada de huevo, que se sale un poco entre las rebanadas de pan, es lo que los transporta a su infancia. Dejar que los huevos se cuezan en el agua caliente en vez de hervirlos, hace que las claras no queden correosas ni las yemas se pongan de color gris verdoso.

SÁNDWICH DE ENSALADA DE HUEVO

Huevos grandes, 8

Mayonesa (página 246 o comprada), ½ taza más la necesaria para el pan

Apio, 2 tallos pequeños, finamente picados

Cebollitas de cambray, 2 pequeñas, las partes blancas y verdes, finamente picadas

Perejil liso fresco, 1 cucharada, finamente picado

Mostaza dijon, 1 cucharadita

Sal kosher y pimienta recién molida

Pan blanco de buena calidad, 8 rebanadas

Lechuga francesa, 4 hojas

RINDE 4 SÁNDWICHES

Para preparar los huevos duros, póngalos en una olla lo suficientemente grande para darles cabida. Agregue agua fría hasta que los cubra por 2 ½ cm (1 in) y lleve a ebullición sobre fuego alto. Retire la olla del fuego y tape. Deje reposar durante 15 minutos. Escurra los huevos, pase a un tazón con agua con hielos y deje enfriar por completo.

En un tazón mezcle ½ taza de mayonesa con el apio, cebollitas de cambray, perejil y mostaza. Retire el cascarón de los huevos y pique finamente. Integre con la mezcla de mayonesa y mezcle suavemente. Sazone con sal y pimienta.

Unte 4 de las rebanadas de pan con la misma cantidad de ensalada de huevo, cubra con una hoja de lechuga. Unte mayonesa en las 4 rebanadas restantes de pan y coloque, con el lado de la mayonesa hacia abajo sobre la lechuga para formar el sándwich. Rebane a la mitad y sirva.

 DELE UN GIRO Añada hierbas frescas picadas como el estragón, perifollo o cebollín a la ensalada de huevo. Para hacer un aperitivo sencillo, usando una cuchara ponga un poco de la ensalada de huevo sobre hojas de endivias belgas o, para preparar una ensalada para la hora del almuerzo, ponga un poco de ensalada de huevo sobre una cama de lechuga.

Hace algunos años esta ensalada era poco conocida fuera de Hollywood, en donde era una de las estrellas del menú del restaurante Brown Derby. Hoy en día la ensalada Cobb se sirve en muchos lugares como un almuerzo ligero. Cargada de queso azul, tocino, pollo y aguacate es una sustanciosa comida que garantiza que no pasará hambre hasta la hora de la cena.

ENSALADA COBB

Huevos grandes, 2

Vinagre de vino blanco, ¼ taza

Mostaza dijon, 1 cucharadita

Ajo, 1 diente, machacado

Aceite de oliva, ¾ taza más 1 cucharada

Sal kosher y pimienta recién molida

Mitades de pechuga de pollo, sin piel ni hueso, 3 (de aproximadamente 180 g/6 oz cada una)

Perejil liso fresco, 2 cucharadas, finamente picado

Tomillo fresco, 2 cucharaditas, finamente picado

Tocino ahumado en madera de manzano, 4 rebanadas gruesas, picadas

Aguacate, 1

Corazones de lechuga orejona, 2, picados

Jitomates cereza, 2 tazas, partidos a la mitad

Queso gorgonzola o algún otro queso azul suave, 1 taza, desmoronado

RINDE 4 PORCIONES

Para cocer los huevos duros, póngalos en una olla lo suficientemente grande para darles cabida. Agregue agua fría hasta cubrir por 2 ½ cm (1 in) y lleve a ebullición sobre fuego alto. Retire la olla del fuego y tape. Deje reposar durante 15 minutos. Escurra los huevos, pase a un tazón con agua con hielos y deje enfriar por completo. Retire el cascarón de los huevos y corte en cuarterones.

Para hacer la vinagreta, mezcle el vinagre, mostaza y ajo en una licuadora. Con la licuadora encendida agregue lentamente ¾ taza de aceite a través del orificio de la tapa, mezclando hasta obtener un aderezo espeso. Sazone con sal y pimienta. Vierta en un tazón de servir.

Con un mazo para carne aplane las pechugas de pollo hasta obtener un grosor uniforme de 1 ¼ cm (½ in). Sazone con sal y pimienta. Mezcle el perejil y tomillo y espolvoree uniformemente sobre ambos lados de las pechugas, presionando las hierbas para que se adhieran. En una sartén antiadherente grande sobre fuego medio caliente la cucharada restante de aceite. Agregue el pollo y cocine cerca de 5 minutos hasta que la parte inferior esté dorada. Voltee y cocine durante 5 minutos más, hasta que el otro lado se dore y las pechugas estén completamente opacas. Pase a un plato y deje enfriar.

Agregue el tocino a la sartén y fría las rebanadas durante 4 minutos, moviendo ocasionalmente, hasta que estén crujientes y doradas. Usando una cuchara ranurada ponga las rebanadas sobre una toalla de papel para escurrir.

Cuando esté lista para servir, rebane las pechugas de pollo en tiras transversales al grano. Parta el aguacate a la mitad, retire el hueso y la cáscara; corte en cubos. Divida la lechuga uniformemente entre 4 platos individuales o colóquela en un platón. Acomode el pollo, tocino, jitomates, aguacate, huevos y queso gorgonzola sobre la lechuga. Rocíe con parte de la vinagreta y sirva acompañando con la vinagreta restante.

 DELE UN GIRO Usted puede usar rebanadas de roast beef en lugar del pollo. Para hacer unas deliciosas wraps para llevar, acomode los ingredientes de la ensalada sobre tortillas de harina o pan de lavash, aderece con un poco de vinagreta y enróllelas.

Cebollas suaves desbaratándose, caldo de res y delicioso queso derretido son los elementos indispensables que hacen que esta sopa llena de sabor sea un sello distintivo de la cocina francesa y, también, una de las preferidas de las mesas americanas. Tómese el tiempo para hacer su propio caldo y será recompensado con un sabor intenso y un exquisito bienestar.

SOPA DE CEBOLLA ESTILO FRANCÉS

Mantequilla sin sal,
2 cucharadas

Cebollas amarillas o blancas,
1 ¼ kg (2 ½ lb), partidas a la mitad y en rebanadas delgadas

Harina de trigo simple,
1 cucharada

Vino blanco seco, 1 taza

Caldo de res (página 244),
8 tazas

Tomillo fresco,
2 cucharaditas, finamente picado, o 1 cucharadita de tomillo seco

Hoja de laurel, 1

Sal kosher y pimienta recién molida

Baguette de pan crujiente, 1

Queso gruyère,
2⅔ tazas, rallado

RINDE 8 PORCIONES

En una olla grande y gruesa sobre fuego medio derrita la mantequilla. Agregue las cebollas, mezcle hasta integrar, tape y cocine durante 5 minutos. Destape, reduzca el fuego a medio-bajo y cocine cerca de 30 minutos, moviendo ocasionalmente, hasta que estén suaves y doradas.

Espolvoree la harina sobre las cebollas y mezcle. Gradualmente integre el vino, luego el caldo y por último el tomillo y la hoja de laurel. Lleve a ebullición sobre fuego alto y cuando suelte el hervor, reduzca el fuego a medio-bajo y hierva lentamente cerca de 30 minutos, sin tapar, hasta que se reduzca ligeramente. Sazone con sal y pimienta. Deseche la hoja de laurel.

Mientras tanto, precaliente el asador del horno. Tenga listos 8 tazones refractarios para sopa con capacidad de 1 ½ taza. Corte la baguette en 16 rebanadas, calculando que puedan caber 2 rebanadas en cada tazón. Acomode las rebanadas de pan en una charola para hornear y dore en el horno cerca de un minuto en total, volteando una vez, hasta que estén ligeramente tostadas por ambos lados. Reserve. Coloque la rejilla del horno aproximadamente a 30 cm (12 in) de la fuente de calor y deje el asador encendido.

Usando un cucharón pase la sopa a los tazones. Ponga 2 rebanadas de pan tostado sobre la sopa, encimándolas si fuera necesario, y espolvoree cada tazón uniformemente con aproximadamente ⅓ taza del queso gruyère. Meta al horno alrededor de 2 minutos, hasta que el queso esté burbujeando. Sirva de inmediato.

 DELE UN GIRO Para agregar una capa más de sabor y complejidad, en lugar de usar cebollas amarillas, use una mezcla de cebollas moradas, blancas y dulces (como las Vidalia). El queso italiano Fontina del Val d'Aosta, es una deliciosa alternativa en lugar del tradicional queso gruyère.

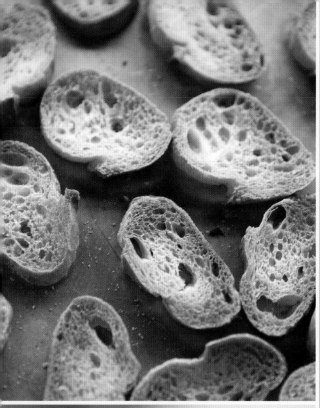

Sin saber qué había debajo de la gruesa capa dorada de queso derretido, metí la cuchara en el tazón de barro.

Mi maestra de francés en preparatoria, generalmente, llevaba a los de mi salón a diversos paseos para que ampliáramos nuestros conocimientos acerca de la cultura francesa. Una noche organizó una cena *à la français* en un elegante restaurante de la ciudad. El menú era de comida reconfortante francesa: un tazón de sopa de cebolla cubierta con queso, un sustancioso coq au vin y un sedoso mouse de chocolate. Mientras yo saboreaba cada maravilloso bocado no tenía idea de que esta comida iba a ser la causante de mi carrera profesional. Especialmente me encantó la sopa de cebolla: esa primera cucharada con cebollas caramelizadas derritiéndose en mi boca y ese sabroso caldo de carne, literalmente cambiaron mi vida. Años después, estudié cocina francesa en París y durante mi primera comida en la Ciudad Luz, levanté una copa para brindar por mi maestra de francés, la ingeniosa señorita Powell.

Llena de almejas de mar y suaves trozos de papas, esta cremosa sopa de Nueva Inglaterra parece estar hecha a la medida para quitar el fresco de una tarde fría. Antes de añadir las almejas a la olla, asegúrese de cepillarlas bien y remojarlas para retirar las arenillas o polvo que tengan, los cuales podrían arruinar la sopa.

CHOWDER DE ALMEJAS

Almejas pequeñas littleneck,
4 docenas
(aproximadamente 2 kg/4 lb)

Sal kosher y pimienta recién molida

Papas rojas,
2 grandes

Tocino ahumado en madera de manzano, 4 rebanadas gruesas, picado

Cebolla amarilla o blanca,
1, picada

Apio, 2 tallos pequeños, finamente picados

Harina de trigo simple,
3 cucharadas

Media crema, 2 tazas

Tomillo fresco,
½ cucharadita, finamente picado

Perejil liso fresco, picado, para adornar

RINDE DE 6 A 8
PORCIONES

Talle las almejas debajo del chorro del agua fría. Ponga en un tazón grande, agregue agua fría con sal hasta cubrir y deje reposar durante una hora. Escurra las almejas y enjuague perfectamente. Ponga las almejas en una olla y agregue una taza de agua. Tape y ponga a hervir sobre fuego alto. Cocine cerca de 4 minutos, moviendo la olla ocasionalmente, hasta que las almejas se hayan abierto. Deseche las que no se hayan abierto. Pase las almejas a un tazón grande, reservando el líquido del cocimiento en la olla. Retire la carne de las conchas, reservando las almejas y desechando las conchas. Forre un colador de malla fina con un trozo húmedo de manta de cielo, ponga sobre una taza para medir de vidrio con capacidad de 4 tazas y cuele el líquido de cocimiento de la olla y del tazón grande a través de la manta de cielo. Agregue el agua fría necesaria a la taza para medir para obtener 4 tazas de líquido.

Mientras tanto, corte las papas con piel en cubos y ponga en una olla grande. Agregue agua salada hasta cubrir por 2 ½ cm (1 in), tape la olla y ponga a hervir sobre fuego alto. Cuando suelte el hervor destape, reduzca el fuego a medio-bajo y hierva lentamente cerca de 20 minutos, hasta que se sientan suaves al picarlas con un cuchillo. Escurra y reserve.

En una olla grande sobre fuego medio-bajo fría el tocino alrededor de 10 minutos, moviendo ocasionalmente, hasta dorar. Usando una cuchara ranurada pase las rebanadas a toallas de papel para escurrir. Agregue la cebolla y el apio a la grasa de la olla y cocine sobre fuego medio cerca de 5 minutos, moviendo ocasionalmente, hasta suavizar. Espolvoree con la harina y mezcle. Integre las papas reservadas y el líquido de las almejas, la media crema y el tomillo. Lleve a ebullición y cuando suelte el hervor, reduzca el fuego a medio-bajo y hierva lentamente cerca de 5 minutos, hasta que espese ligeramente. Integre las almejas reservadas y el tocino y sazone con sal y pimienta. Usando un cucharón pase a tazones precalentados, espolvoree con perejil y sirva.

 DELE UN GIRO Para hacer chowder de pescado, no use las almejas. Use 4 tazas de caldo de pescado en lugar del líquido de las almejas y el agua. Agregue 500 g (1 lb) de filetes de pescado sin piel como el bacalao, abadejo o huachinango, cortado en trozos de 2 ½ cm (1 in), a la base de la sopa con las papas cocidas. Hierva a fuego lento cerca de 5 minutos, hasta que esté ligeramente opaco. Añada el tocino, sazone y sirva como se indica.

Por toda la costa oeste de los Estados Unidos, esta ensalada de mariscos es considerada como el punto de referencia en el arte de hacer ensaladas. Lo más importante de la ensalada Louis (se pronuncia Luui) son los mariscos, así es que no trate de agregar elegantes lechugas ni verduras exóticas que solamente lo van a distraer del maravilloso cangrejo dulce y fresco.

ENSALADA DE CANGREJO LOUIS

Huevos grandes, 4

Mayonesa (página 246 o comprada), 1 taza

Salsa de chile tipo catsup, ¼ taza

Pimiento verde, 2 cucharadas, finamente picado

Cebollitas de cambray, 2, las partes blancas y verdes, finamente picadas

Jugo fresco de limón amarillo, 1 cucharada

Lechuga romana entera, ½ cabeza

Corazones de lechuga orejona, 2

Carne de cangrejo recién cocida, 500 g (1 lb)

Jitomates cereza, ½ taza, partidos a la mitad

Pepino inglés, ¼, finamente rebanado

Limón amarillo, 1, cortado en rebanadas

RINDE DE 4 A 6 PORCIONES

Para cocer los huevos duros, póngalos en una olla lo suficientemente grande para darles cabida. Agregue agua fría para cubrir por 2 ½ cm (1 in) y lleve a ebullición sobre fuego alto. Cuando suelte el hervor retire la olla del fuego y tape. Deje reposar durante 15 minutos. Escurra los huevos, pase a un tazón con agua con hielos y deje enfriar completamente. Retire el cascarón de los huevos y corte en cuarterones.

Para hacer el aderezo, en un tazón pequeño mezcle la mayonesa con la salsa de chile, pimiento, cebollitas de cambray y jugo de limón. Tape y refrigere hasta el momento de servir.

Troce la lechuga romana en pedazos del tamaño de un bocado y pique toscamente la lechuga orejona. En un tazón grande mezcle las lechugas. Distribuya las lechugas en una capa gruesa sobre un platón grande o divídala uniformemente entre 4 ó 6 platos individuales. Revise la carne de cangrejo para que no tenga trocitos de concha o cartílagos. Ponga la carne de cangrejo en el centro de la lechuga. Acomode los jitomates, pepinos y huevos en cuarterones alrededor del cangrejo. Adorne con las rebanadas de limón y sirva acompañando a la mesa con el aderezo.

 DELE UN GIRO La ensalada Louis frecuentemente se hace con camarones en lugar de cangrejo o con una combinación de ambos. Use camarones cocidos, sin piel y limpios del tamaño que usted prefiera (en la Costa Oeste de los Estados Unidos los camarones pequeños de la bahía por lo general son la mejor opción.) También puede adornar la ensalada con espárragos ligeramente cocidos.

Por todo el estado de Louisiana un "po'boy", una torta hecha con pan francés suave y relleno hasta el tope con los ingredientes calientes de su elección, se considera como el mejor de todos los sándwiches posibles. Puede hacerlo con embutidos picantes o con roast beef rebanado bañado en gravy, pero son los ostiones fritos los que hicieron famoso a este sándwich.

TORTA PO'BOY DE OSTIONES FRITOS

Ostiones sin su concha, 500 g (1 lb)

Cornmeal amarillo, de preferencia molido en molino de piedra o polenta, 1 taza

Harina de trigo simple, 1 taza

Sal kosher, 1¼ cucharadita

Páprika dulce, de preferencia húngara ó española, ½ cucharadita

Albahaca seca, ½ cucharadita

Tomillo seco, ½ cucharadita

Pimienta negra recién molida, ½ cucharadita

Ajo en trozo, ¼ cucharadita

Pimienta de cayena, ⅛ cucharadita

Huevos grandes, 3

Aceite de canola para fritura profunda

Bollos franceses o italianos suaves, 4, abiertos

Rémoulade (página 246)

Lechuga romana en tiritas para acompañar

Jitomate en rebanadas para acompañar

RINDE 4 TORTAS

Escurra los ostiones en un colador y enjuague perfectamente. En un procesador de alimentos procese el cornmeal alrededor de 2 minutos, hasta que esté finamente molida. Pase a un tazón, agregue la harina, sal, páprika, albahaca, tomillo, pimienta negra, ajo y pimienta de cayena. Usando un batidor globo bata hasta incorporar por completo. En otro tazón bata los huevos hasta integrar por completo.

Vierta aceite en una olla grande y gruesa hasta obtener una profundidad de 7 ½ cm (3 in) y caliente sobre fuego alto hasta que registre 175°C (350°F) en un termómetro para fritura profunda. Precaliente el horno a 100°C (200°F).

Mientras tanto, forre con papel encerado una charola para hornear con borde. Trabajando en tandas, sumerja los ostiones en el huevo batido y cubra con la mezcla de la harina, sacudiendo el exceso. Coloque sobre la charola para hornear preparada.

Coloque una rejilla grande de metal sobre otra charola para hornear y ponga junto a la estufa. Trabajando en tandas para no amontonar, cuidadosamente resbale los ostiones en el aceite caliente y fría en fritura profunda durante 2 ½ minutos, volteándolos una vez, hasta que estén dorados. Usando una espumadera de metal o una cuchara ranurada pase los ostiones fritos a la rejilla y mantenga calientes en el horno. Repita la operación con los ostiones restantes.

Retire los ostiones del horno y encienda el asador del horno. Ponga los bollos abiertos a la mitad, con el lado abierto hacia arriba, sobre una charola para hornear y tueste debajo del asador de 1 a 2 minutos, hasta que estén ligeramente crujientes.

Unte el lado cortado de cada mitad de los bollos con aproximadamente 2 cucharadas de la rémoulade. Divida los ostiones entre la mitad de las rebanadas de los bollos y cubra con las rebanadas de jitomate y la lechuga. Cubra con la otra mitad del bollo. Sirva de inmediato acompañando a la mesa con la rémoulade restante.

 DELE UN GIRO ¿No le gustan los ostiones? Sustituya los ostiones con 500 g (1 lb) de camarones medianos, sin piel y limpios. Puede usar Salsa Tártara (página 105) o una combinación de salsa catsup con mayonesa en lugar de la rémoulade.

La sopa de pollo es famosa entre las mamás de todo el mundo por sus poderes restauradores, pero esta versión con sus suaves dumplings moteados de salvia, le hará sentirse mejor aún cuando no tenga catarro. Mezcle la masa con delicadeza para asegurarse de que los dumplings queden suaves y ligeros.

SOPA DE POLLO CON DUMPLINGS

Aceite de oliva, 2 tablespoons

Cebolla amarilla o blanca, 1, partida en cubos

Zanahorias, 2, partidas en cubos

Apio, 1 tallo, partido en cubos

Caldo de pollo (página 244) o consomé, 8 tazas

Pollo cocido, deshebrado (del Caldo de Pollo, página 244, o pollo rostizado comprado), 4 tazas

Sal fina de mar y pimienta recién molida

Harina de trigo simple, 1½ taza

Polvo para hornear, 2 cucharaditas

Salvia fresca, 2 cucharaditas, finamente picada

Leche entera, ¾ taza

RINDE 8 PORCIONES

En una olla para sopa, caliente el aceite sobre fuego medio alto. Agregue la cebolla, zanahorias y apio, tape y cocine cerca de 5 minutos, moviendo ocasionalmente, hasta que las verduras se suavicen. Agregue el caldo y lleve a ebullición sobre fuego alto. Cuando suelte el hervor, reduzca el fuego a medio-bajo y hierva lentamente durante 20 minutos, hasta que las verduras estén suaves. Agregue el pollo. Sazone con sal y pimienta.

Para hacer los dumplings, bata en un tazón la harina, polvo para hornear y ½ cucharadita de sal de mar con ayuda de un batidor globo. Integre la salvia, batiendo. Añada la leche y mezcle para formar una masa suave. Usando una cuchara pase cucharadas iguales de la masa a la superficie de la sopa hirviendo. Tape y cocine cerca de 15 minutos, hasta que los dumplings estén firmes.

Usando el cucharón pase la sopa y los dumplings a tazones precalentados y sirva de inmediato.

DELE UN GIRO Para hacer la clásica sopa de pollo con pasta, omita los dumplings y agregue tallarines de huevo cocidos o alguna otra pasta pequeña como los coditos junto con el pollo y caliente completamente. Para preparar sopa de pollo y arroz, agregue arroz de grano largo ya cocido y caliente completamente. No agregue los tallarines o el arroz crudos ya que absorben demasiado líquido y la sopa queda muy espesa.

Quizás más que cualquiera de los otros sándwiches, el sándwich derretido de atún transforma sus humildes ingredientes y los convierte en un agasajo especial. Todos en la mesa necesitarán tenedor y cuchillo para comer este sándwich abierto de la clásica ensalada de atún y queso derretido, un clásico para la hora del almuerzo.

SÁNDWICH DERRETIDO DE ATÚN

Atún blanco de albacora empacado en aceite o en agua,
3 latas (de 180 g/6 oz cada una)

Mayonesa (página 246 ó comprada), ½ taza

Apio, ½ taza, finamente picado

Cebolla amarilla o morada, ¼ taza, finamente picada

Perejil liso fresco, 2 cucharadas, finamente picado

Pimienta recién molida

Pan blanco firme para sándwich, 4 rebanadas grandes

Jitomate, 8 rebanadas

Queso Cheddar suave, 180 g (6 oz), partido en rebanadas delgadas

RINDE 4 SÁNDWICHES

Precaliente el asador del horno. Escurra el atún perfectamente y ponga en un tazón. Agregue la mayonesa, apio, cebolla y perejil; mezcle bien. Sazone con pimienta.

Acomode las rebanadas de pan en una charola para hornear con borde, tueste durante un minuto en total, volteando una vez, hasta que estén ligeramente doradas por ambos lados. Unte la misma cantidad de la mezcla de atún en cada rebanada de pan tostado. Divida las rebanadas de jitomate uniformemente entre los sándwiches y cubra con el queso Cheddar. Ponga otra vez en el asador y ase durante un minuto más, hasta que el queso se derrita. Sirva de inmediato.

DELE UN GIRO Puede usar pan de centeno o English muffins abiertos para hacer estos sándwiches y sustituir el queso Cheddar suave por un Cheddar fuerte, Gruyère o Suizo. Para agregar un poco de acidez a la mezcla de atún, integre 2 cucharadas de pepinillos, picados. Si usted prefiere un sándwich derretido de atún cerrado, prepárelos como se indica en la receta y cubra con una segunda rebanada de pan. Unte mantequilla en la parte exterior de cada sándwich y cocine en una sartén sobre fuego medio hasta que el queso se derrita y el pan esté dorado por ambos lados.

El tocino ahumado y salado hace que casi cualquier cosa tenga un mejor sabor, y esta sustanciosa ensalada no es la excepción. Puede hacer que los niños se coman felizmente sus verduras. Aquí el tocino tiene mucha presencia, por lo que le recomendamos que busque un tocino de buena calidad y de rebanada gruesa para que tenga un resultado más sabroso. Y trate de no comerse todos los trocitos de tocino crujiente mientras prepara las ensaladas.

ENSALADA TIBIA DE ESPINACAS Y TOCINO

Aceite de oliva extra virgen,
8 cucharadas

Champiñones,
500 g (1 lb), partidos a la mitad

Jugo fresco de limón amarillo,
1½ cucharada

Ajo, 2 dientes, finamente rebanados

Tomillo fresco,
1 cucharadita, finamente picado

Hojuelas de chile rojo,
¼ cucharadita

Sal kosher y pimienta recién molida

Huevos grandes, 3

Espinaca pequeña, 300 g (10 oz)

Tocino ahumado en madera de manzano, 8 rebanadas gruesas, picado

Vinagre balsámico,
3 cucharadas

Mostaza de grano entero,
1 cucharada

Cebolla morada, 1 pequeña, finamente rebanada

Jitomates cereza,
1½ taza, partidos a la mitad

RINDE DE 6 A 8 PORCIONES

En una sartén sobre fuego medio-alto caliente 2 cucharadas del aceite. Agregue los champiñones y cocine de 5 a 6 minutos, moviendo ocasionalmente, hasta que suelten el jugo y queden ligeramente dorados. Pase a un tazón. Agregue 4 cucharadas de aceite, el jugo de limón, ajo, tomillo y hojuelas de chile, sazone con sal y pimienta y mezcle. Deje marinar durante una hora o hasta por 24 horas.

Para hacer los huevos duros, póngalos en una olla lo suficientemente grande para darles cabida. Agregue agua fría para cubrir por 2 ½ cm (1 in) y lleve a ebullición sobre fuego alto. Cuando suelte el hervor retire la olla del fuego y tape. Deje reposar durante 15 minutos. Escurra los huevos, pase a un tazón con agua con hielos y deje enfriar por completo. Retire el cascarón de los huevos y píquelos grueso.

Ponga la espinaca en un tazón grande. En una sartén grande sobre fuego medio fría el tocino cerca de 7 minutos, moviendo ocasionalmente, hasta que esté dorado y crujiente. Usando una cuchara ranurada pase a toallas de papel para escurrir. Deje 2 cucharadas de la grasa en la sartén y deseche el resto. Fuera del fuego bata el vinagre y la mostaza con la grasa de la sartén usando un batidor globo e integre batiendo las 2 cucharadas restantes del aceite. Sazone al gusto con sal y pimienta y rocíe sobre las espinacas. Mezcle para cubrir.

Divida las espinacas aderezadas entre platos individuales, cubra con las rebanadas de cebolla, jitomates, champiñones marinados y huevos picados. Espolvoree con el tocino picado y sirva de inmediato.

 DELE UN GIRO Puede poner un huevo poché (página 247) en cada plato en lugar del huevo duro picado. El sabor afrutado del vinagre de sidra en lugar del vinagre balsámico combina bien con el tocino ahumado.

La panceta, el ajo, las verduras y las hierbas dan aroma y sabor a esta sopa, y los frijoles y la pasta la hacen lo suficientemente sustanciosa para satisfacer incluso a aquellos que tienen un gran apetito. De hecho, cada uno de los ingredientes agrega carácter a esta sopa, incluyendo la corteza del queso parmesano que infunde al caldo con intensidad y complejidad, por lo que no debe suprimirla.

SOPA ITALIANA DE FRIJOLES Y PASTA

Panceta o tocino,
175 g (¼ lb), picado

Aceite de oliva extra virgen,
1 cucharada

Cebolla amarilla o blanca,
1, finamente picada

Zanahorias, 2, partidas en cubos

Apio, 1 tallo, partido en cubos

Ajo, 2 dientes, finamente picados

Caldo de pollo (página 244) o consomé, 8 tazas

Frijoles cranberry frescos,
500 g (1 lb), sin vaina

Rama de romero fresco, 1

Hoja de laurel, 1

Corteza de queso parmesano,
una pieza de 5 cm (2 in)

Pasta pequeña como *conchigliette* **o** *ditalini,* ⅔ taza

Jitomates, 2, sin semillas y picados

Sal kosher y pimienta recién molida

Queso parmesano recién rallado para acompañar

RINDE 6 PORCIONES

En una olla para sopa cocine la panceta en el aceite sobre fuego medio durante 5 minutos, moviendo ocasionalmente, hasta que la panceta empiece a dorarse. Agregue la cebolla, zanahorias y apio; cocine cerca de 8 minutos, moviendo ocasionalmente, hasta que las verduras se hayan suavizado. Integre el ajo y cocine cerca de un minuto, hasta que aromatice.

Vierta el caldo y añada los frijoles, romero, hoja de laurel y corteza del parmesano. Suba el fuego a medio-alto y lleve a ebullición. Cuando suelte el hervor reduzca el fuego a medio-bajo, tape y hierva lentamente cerca de 30 minutos, moviendo ocasionalmente, hasta que los frijoles estén suaves.

Integre la pasta y los jitomates a la olla y hierva a fuego lento, moviendo ocasionalmente (revise las instrucciones del paquete para el tiempo del cocimiento), hasta que la pasta esté al dente. Deseche el romero, hoja de laurel y corteza del parmesano.

Sazone la sopa con sal y pimienta y, usando un cucharón, pase a los tazones precalentados y sirva de inmediato acompañando a la mesa con el queso parmesano.

 DELE UN GIRO Si no puede encontrar frijoles cranberry frescos, use los secos: enjuague una taza de frijoles cranberry secos, limpie y deseche los que estén defectuosos y las piedras pequeñas. En un tazón grande mezcle los frijoles con agua hasta cubrir por 2 ½ cm (1 in), deje reposar a temperatura ambiente durante 4 horas o hasta por 12 horas. (Si hace calor, refrigere los frijoles). Escurra los frijoles perfectamente antes de añadir a la olla y aumente el tiempo de cocimiento a 45 ó 60 minutos. Puede usar el sustancioso caldo de res (página 244 o comprado) en lugar del caldo de pollo. Agregue una cucharada de pesto de albahaca (página 245) a cada tazón para darle un adorno colorido.

Las mejores tortitas de cangrejo son crujientes por fuera, suaves por dentro y están repletas de sabor a marisco fresco. Hay muchas versiones que ponen demasiadas cosas en el relleno, pero estas tortitas regordetas sólo llevan dulce carne de cangrejo y suficientes ingredientes adicionales para darles sabor y envolverlas, asegurando que el crustáceo siga siendo la estrella.

TORTITAS DE CANGREJO CON ALIOLI DE LIMÓN AMARILLO

ALIOLI DE LIMÓN AMARILLO

Mayonesa (página 246 o comprada), 1 taza

Ralladura fina de limón amarillo, de 1 limón

Jugo fresco de limón amarillo, 2 cucharadas

Ajo, 1 diente, finamente picado

Sal fina de mar y pimienta recién molida

Carne de cangrejo recién cocida en trozo, 500 g (1 lb)

Panko o algún otro pan molido, ¾ taza

Huevo grande, 1, batido

Mostaza dijon, 1 cucharada

Salsa inglesa, 2 cucharaditas

Salsa de chile picante, ¼ cucharadita

Perejil liso fresco, 1 cucharada, picado

Aceite de canola, ½ taza

Rebanadas de limón amarillo para acompañar

RINDE 4 PORCIONES

Para hacer el alioli, en un tazón pequeño mezcle la mayonesa con la ralladura y jugo de limón y el ajo. Sazone con sal y pimienta. Reserve ¼ taza del alioli. Tape y refrigere el resto hasta el momento de servir.

Forre con papel encerado una charola para hornear con borde. Para hacer las tortitas de cangrejo, revise la carne de cangrejo para que no tenga trocitos de concha o cartílago. En un tazón mezcle ¼ taza del panko con el ¼ taza de alioli reservado, el huevo, mostaza, salsa inglesa, salsa de chile picante y perejil. Agregue la carne de cangrejo y mezcle con cuidado hasta integrar. Divida la mezcla en 8 porciones iguales y dele forma de tortita gruesa a cada porción. Esparza la ½ taza restante de panko en un recipiente poco profundo. Cubra las tortitas uniformemente con el panko y pase a la charola para hornear preparada. Refrigere durante 15 minutos.

En una sartén grande sobre fuego medio-alto caliente el aceite hasta que brille. Añada las tortillas y cocine de 2 a 3 minutos, hasta que la parte inferior esté dorada. Voltee las tortitas y cocine cerca de 2 minutos más, hasta dorar por ambos lados. Usando una espátula ranurada pase a toallas de papel para que escurran brevemente.

Sirva las tortitas de cangrejo inmediatamente con las rebanadas de limón y acompañando a la mesa con el alioli de limón restante.

 DELE UN GIRO En lugar del alioli sirva las tortitas con mayonesa hecha en casa (página 246) o con una simple vinagreta de limón. O, si lo desea, haga un aderezo verde y cremoso: bata 1 taza de mayonesa con 1 cucharada de cada uno de los siguientes ingredientes: estragón fresco, cebollín y perejil; 1 cucharadita de pasta de anchoa; 1 cucharadita de mostaza dijon y la ralladura de 1 limón amarillo.

Cuando yo era niño, mi familia iba a menudo al embarcadero a comprar cangrejos recién cocidos, que sacaban ahí mismo de unas ollas gigantes sobre la banqueta.

Es una costumbre que cada muchacho nacido en San Francisco aprenda como cocinar, limpiar, partir y comer cangrejo. En nuestra familia, papá era el maestro de todas estas importantes técnicas, así como también nos enseñó como cortar el pasto adecuadamente o asar hamburguesas en el asador. Hoy en día, cuando visito amigos en la ciudad, en la zona de la Bahía, durante el invierno (que es la temporada local para el cangrejo Dungeness), por lo menos en una de las reuniones siempre hay cangrejo Dungeness en trozos rociado con jugo fresco de limón amarillo o mantequilla derretida, una enorme ensalada verde aderezada con una sabrosa vinagreta y una crujiente barra de pan ácido, todo acompañado con un vino Chardonnay de California de la mejor calidad. No puede haber nada mejor.

El sándwich de crema de cacahuate y mermelada, mejor conocido como PB & J (por sus siglas en inglés), ha simplificado el almuerzo para miles de mamás durante muchos años. La variación del popular PB con plátano cambia la mermelada por plátanos y agrega miel de abeja para darle un toque dulce, mientras que el sándwich PB a la parrilla, con una capa de exquisito chocolate, es lo máximo.

SÁNDWICH DE CREMA DE CACAHUATE Y PLÁTANO

Pan integral con miel de abeja, 8 rebanadas

Crema de cacahuate simple o con trocitos, aproximadamente ¾ taza

Plátanos, 2 grandes

Miel de abeja, 8 cucharaditas

RINDE 4 SÁNDWICHES

Ponga 4 rebanadas de pan sobre una superficie de trabajo y unte con crema de cacahuate, dividiéndola uniformemente. Retire la cáscara a los plátanos, rebane y acomode las rebanadas sobre la crema de cacahuate, dividiéndolas uniformemente. Rocíe 2 cucharaditas de miel de abeja sobre cada rebanada de pan cubierta con plátano. Cubra con las rebanadas restantes de pan. Corte a la mitad y sirva.

 DELE UN GIRO Experimente con distintos tipos de pan como el pan con uvas pasas o los rollos de canela que son buenas elecciones, o use diferentes tipos de crema como la crema de almendras o la de nueces de la India.

SÁNDWICH DE CREMA DE CACAHUATE Y CHOCOLATE A LA PARRILLA

Pan blanco de buena calidad, 8 rebanadas

Crema de cacahuate simple o con trocitos, aproximadamente ½ taza

Crema de avellana con cacao, como la Nutella®, aproximadamente ½ taza

Mantequilla sin sal, 4 cucharadas, a temperatura ambiente

RINDE 4 SÁNDWICHES

Ponga las rebanadas de pan sobre una superficie de trabajo. Unte 4 de las rebanadas con la crema de cacahuate. Unte las otras 4 rebanadas con la crema de avellana con cacao y coloque cada rebanada, con el lado de la crema de avellana hacia abajo, sobre una rebanada con crema de cacahuate. Caliente una plancha para asar o 2 sartenes sobre fuego medio hasta que estén muy calientes. Unte la parte exterior de cada sándwich con una cucharada de mantequilla. Ponga en la plancha, reduzca el fuego a medio-bajo y cocine cerca de 3 minutos, hasta que la parte inferior esté dorada. Voltee los sándwiches y dore por el otro lado durante 3 minutos más. Corte a la mitad y sirva.

 DELE UN GIRO Agregue una capa delgada de mermelada, la de frambuesa o chabacano son deliciosas, o agregue una capa de plátano rebanado. Extienda la mermelada o las rebanadas de plátano sobre la crema de cacahuate antes de cubrir con el pan untado con crema de avellana con cacao.

Muchos americanos tienen recuerdos vívidos de comer sándwiches de queso amarillo a la parrilla acompañados con tazones de sopa de tomate de lata cuando eran niños. Aquí, la misma combinación clásica presenta el mejor queso Cheddar con el mejor pan ácido o *pain au levain* en los sándwiches y jitomates asados en la sopa para obtener un increíble agasajo.

SÁNDWICH DE QUESO A LA PARRILLA CON CREMA DE TOMATE

CREMA DE TOMATE

Jitomates enteros, 2 kg (4 lb)

Aceite de oliva, 2 cucharadas

Mantequilla sin sal, 1 cucharada

Apio, 2 tallos, finamente picados

Chalotes, ⅓ taza, finamente picados

Caldo de pollo (página 244) o consomé, ½ taza o lo necesario

Tomillo fresco, 1 cucharadita

Azúcar, ½ cucharadita

Crema espesa, ½ taza

Sal kosher y pimienta recién molida

QUESO A LA PARRILLA

Queso Cheddar suave, 350 g (¾ lb), en rebanadas delgadas

Pan ácido o *pain au levain*, 8 rebanadas

Mantequilla sin sal, 4 cucharadas, a temperatura ambiente

RINDE 4 PORCIONES

Para hacer la sopa, precaliente el horno a 200°C (400°F). Engrase ligeramente con aceite una charola para hornear con borde. Corte los jitomates longitudinalmente a la mitad. Póngalos en la charola preparada para hornear, con el lado cortado hacia arriba y barnice con 2 cucharadas de aceite. Ase durante 45 minutos, hasta que los jitomates se vean algo marchitos. Deje enfriar durante 20 minutos. Pase los jitomates y su jugo al procesador de alimentos. Pulse hasta picar y pase los jitomates y su jugo a través de un colador de malla gruesa colocado sobre un tazón. Deberá tener aproximadamente 3 1/2 tazas de puré de tomate. Deseche lo que quede en el colador.

En una olla grande sobre fuego medio-bajo derrita la mantequilla. Agregue el apio y cocine durante 5 minutos, moviendo ocasionalmente, hasta suavizar. Añada los chalotes y cocine cerca de 3 minutos, moviendo ocasionalmente, hasta suavizar. Integre el puré de tomate, ½ taza de caldo y el tomillo y lleve a ebullición sobre fuego medio-alto. Cuando suelte el hervor reduzca el fuego a medio-bajo y hierva lentamente cerca de 15 minutos, sin tapar. Integre el azúcar. En 3 ó 4 tandas, muela la sopa en una licuadora hasta que quede tersa. Pase a una olla limpia, agregue la crema y caliente hasta que esté muy caliente pero que no suelte el hervor. Si la sopa queda muy espesa, añada más caldo. Sazone al gusto con sal y pimienta.

Para preparar los sándwiches de queso a la parrilla, caliente la plancha para asar o 2 sartenes grandes sobre fuego medio, hasta que estén muy calientes. Para cada sándwich ponga una cuarta parte del queso sobre una rebanada de pan y cubra con otra rebanada de pan. Unte la parte exterior de cada sándwich con una cucharada de mantequilla. Ponga en la plancha, reduzca el fuego a medio-bajo y cocine de 3 a 4 minutos, hasta que la parte inferior se dore. Voltee los sándwiches y dore de 3 a 4 minutos más por el otro lado. Usando un cucharón pase la sopa a tazones precalentados. Sirva de inmediato acompañando con los sándwiches calientes.

 DELE UN GIRO Los sándwiches de queso a la parrilla pueden tener muchas variaciones. Use su pan favorito o diferentes quesos. Para un sándwich sensacional agregue una rebanada de jamón y otra de jitomate antes de ponerlo a la parrilla.

Pocos alimentos despiertan tanto el apetito, con sólo verlos, como un montón de camarones fritos esponjados y dorados, con su gabardina crujiente protegiendo su suave y dulce carne. Sumerja los camarones, uno por uno, en la salsa picante de coctel y saboree cada mordida. ¡Este platillo se puede comer con los dedos!

CAMARONES EN GABARDINA AL HORNO

Salsa de chile picante estilo catsup o salsa catsup (página 246), 1 taza

Salsa preparada de rábano picante (horseradish), 2 cucharadas escurridas

Ralladura fina de limón amarillo, de 1 limón

Jugo fresco de limón amarillo, 1 cucharada

Salsa de chile picante

Panko u otro pan molido, 1¼ taza

Páprika dulce, de preferencia la húngara o española, 1 cucharadita

Orégano, albahaca y tomillo secos, ½ cucharadita de *cada uno*

Ajo en trozo deshidratado, ½ cucharadita

Sal kosher, ½ cucharadita

Pimienta de cayena, ⅛ cucharadita

Mantequilla sin sal, 4 cucharadas, derretida

Aceite de oliva, 2 cucharadas

Camarones grandes, 1 kg (2 lb), sin piel y limpios

RINDE 4 PORCIONES

Para preparar la salsa, mezcle en un tazón pequeño la salsa picante estilo catsup con el rábano picante, ralladura y jugo de limón. Sazone con la salsa picante. Reserve.

Precaliente el horno a 200°C (400°F). Engrase ligeramente con aceite una charola para hornear con borde. En un tazón mezcle el panko con la páprika, orégano, albahaca, tomillo, ajo, sal y pimienta de cayena. En otro tazón bata la mantequilla con el aceite usando un batidor globo. Trabajando en tandas, cubra los camarones con la mezcla de mantequilla, luego cubra con la mezcla de panko sacudiendo el exceso. Extienda en una sola capa sobre la charola preparada para hornear.

Hornee cerca de 10 minutos, hasta que la cubierta esté dorada y los camarones estén completamente opacos cuando se piquen con la punta de un cuchillo.

Pase la salsa a tazones individuales para sumergir. Sirva los camarones de inmediato acompañando a la mesa con los tazones de salsa.

 DELE UN GIRO Para hacer camarones con coco, sustituya la mezcla de panko por 1 ½ taza de coco deshidratado sin endulzar. Agregue una cucharadita de polvo de curry a la mezcla de la mantequilla. Sumerja los camarones en la mezcla de mantequilla, luego en la de coco y hornee como se indica en la receta. Acompañe con salsa tai picante y dulce.

Cuando tenga ganas de una suculenta comida, pocas cosas son más tentadoras y con aromas más apetecibles que una olla grande de salsa de tomate con albóndigas. Esta receta rústica mezcla la sabrosa salsa y las suaves albóndigas con bollos crujientes cubriendo todo con queso derretido. Esta receta sería el orgullo de cualquier "nonna" italiana.

EMPAREDADOS DE ALBÓNDIGAS

Aceite de oliva, 1 cucharada

Cebolla amarilla o blanca, ½ taza, finamente picada

Ajo, 2 dientes, finamente picados

Migas gruesas de pan fresco, ¾ taza

Leche entera, ½ taza

Huevo grande, 1, batido

Perejil liso fresco, 2 cucharadas, finamente picado

Orégano seco, 1½ cucharadita

Sal kosher, 1½ cucharadita

Pimienta recién molida, ½ cucharadita

Carne de res molida, 500 g (1 lb)

Carne de puerco y ternera molida, 250 g (½ lb) de *cada una*

Salsa marinara (página 245), 6 tazas

Bollos italianos crujientes, 6, abiertos a la mitad

Queso provolone o mozzarella, 250 g (½ lb)

Queso parmesano recién rallado para espolvorear

RINDE 6 SÁNDWICHES

Precaliente el horno a 200°C (400°F). Engrase ligeramente con aceite una charola para hornear con borde. En una sartén pequeña sobre fuego medio caliente el aceite. Agregue la cebolla y cocine cerca de 4 minutos, moviendo ocasionalmente, hasta suavizar. Añada el ajo y cocine cerca de un minuto más, hasta que aromatice. Pase a un tazón grande y deje entibiar.

Mientras tanto, ponga las migas de pan en un tazón. Añada la leche y deje reposar alrededor de 5 minutos. Pase la mezcla a un colador y escurra haciendo presión sobre el pan para extraer el exceso de leche. Agregue el pan molido remojado, el huevo, perejil, orégano, sal y pimienta a la mezcla de la cebolla y revuelva hasta integrar por completo. Añada las carnes molidas y mezcle con sus manos hasta integrar. No las mezcle demasiado para que las albóndigas no queden duras.

Con sus manos húmedas forme 18 albóndigas con la carne y acomode sobre la charola preparada para hornear. Hornee alrededor de 20 minutos, hasta que la superficie se dore, voltee las albóndigas y hornee durante 15 minutos más, hasta que estén totalmente cocidas. Retire del horno.

En una olla grande sobre fuego medio hierva la salsa marinara. Agregue las albóndigas. Deseche la grasa que haya quedado en la charola para hornear, añada ½ taza de agua hirviendo a la charola y, con una espátula de madera, raspe los trocitos dorados que hayan quedado en la charola. Pase a la salsa marinara y mezcle. Hierva lentamente cerca de 20 minutos, hasta que los sabores se hayan mezclado.

Precaliente el asador del horno. Coloque los bollos, con el lado cortado hacia arriba, sobre otra charola para hornear con borde. Ponga 3 albóndigas en la parte inferior de cada bollo y, con ayuda de una cuchara, cubra con un poco de la salsa. Vierta 2 tazas de la salsa restante en un tazón y mantenga caliente. Reserve la salsa restante para otro uso. Corte el queso provolone en rebanadas delgadas y divídalas uniformemente entre los sándwiches. Ase durante un minuto, hasta que el queso se derrita. Usando una espátula ancha y grande, pase los sándwiches a platos individuales. Espolvoree cada sándwich con queso parmesano y sirva acompañando a la mesa con la salsa.

 DELE UN GIRO Para hacer este sándwich de albóndigas aún más sustancioso, agregue una capa de pimientos y cebollas salteadas, como la mezcla que se usa en los Sándwiches de Bistec con Queso (página 74) después de que se haya derretido el queso.

Las mejores milanesas fritas de pollo son siempre crujientes, jugosas y perfectamente sazonadas, además de que son sorprendentemente fáciles de hacer. En esta receta son las estrellas de estos sustanciosos sándwiches embarrados de mayonesa y cubiertos de rebanadas de pepinillo y lechuga crujiente, una versión de los que encontrará en las loncherías del sur de los Estado Unidos.

SÁNDWICH DE POLLO FRITO

Sal kosher, ½ cucharadita

Pimienta recién molida, ¼ cucharadita

Páprika dulce o picante, de preferencia húngara o española, ¼ cucharadita

Mitades de pechuga de pollo sin piel ni hueso, 4 (de aproximadamente 180 g/6 oz cada una)

Huevos grandes, 2

Leche entera, ½ taza

Harina de trigo simple, 1½ taza

Aceite de cacahuate o canola para freír

Medias noches o bollos para sándwich, 4, abiertos a la mitad

Mayonesa (página 246 o comprada), para untar

Pepinillos, 1 ó 2, cortados en 12 rebanadas

Lechuga morada, 4 hojas grandes

RINDE 4 SÁNDWICHES

Mezcle la sal con la pimienta y páprika. Usando un mazo para carne aplane las pechugas de pollo hasta obtener un grosor uniforme de aproximadamente 1 1/4 cm (1/2 in). Corte cada mitad de pechuga longitudinalmente a la mitad y espolvoree uniformemente con la mezcla de sal. Deje reposar a temperatura ambiente durante 30 minutos o envuelva en plástico adherente y refrigere durante toda la noche.

Tenga lista una charola para hornear con borde. En un tazón poco profundo mezcle los huevos con la leche. Ponga la harina en otro tazón poco profundo. Trabajando con una pieza a la vez, cubra las piezas de pollo con la harina, sacudiendo el exceso, y sumerja en la mezcla del huevo, permitiendo que escurra el exceso. Cubra con la harina una segunda vez, sacudiendo otra vez el exceso. Pase a la charola para hornear.

Precaliente el asador del horno. Vierta aceite en una sartén grande de hierro fundido sobre fuego medio-alto hasta obtener una profundidad de aproximadamente 1 cm (1/2 in), y caliente hasta que registre 180°C (375°F) en un termómetro para fritura profunda. Ponga una rejilla grande de metal en otra charola para hornear con borde y coloque cerca de la estufa.

Trabajando en tandas si fuera necesario para no amontonar, resbale las piezas de pollo cuidadosamente en el aceite caliente y cocine cerca de 10 minutos en total, volteando una vez, hasta que estén doradas por ambos lados. Usando unas pinzas o una espátula ranurada pase a la rejilla a escurrir.

Mientras tanto, ponga los bollos, con el lado cortado hacia arriba, sobre una charola para hornear y dore cerca de un minuto debajo del asador, hasta que estén ligeramente crujientes. Pase los bollos tostados a los platos. Unte la mayonesa en el lado cortado de los bollos. Divida el pollo frito, los pepinillos y la lechuga uniformemente entre los bollos. Sirva de inmediato.

DELE UN GIRO Estos sándwiches también son deliciosos cubiertos con ensalada de col en lugar de los pepinillos y lechuga. Use una Cremosa Ensalada de Col (página 180) o la versión más avinagrada que se ofrece como un giro con los Tacos de Pescado (página 83).

El sándwich de bistec con queso, rebanadas delgadas de bistec de res a la parrilla y queso dentro de un bollo caliente, es un agasajo de la ciudad de Filadelfia, en los Estados Unidos, que ha hecho su propio camino hacia los menús de todo ese país. Si congela parcialmente la carne de res es más fácil cortarla en rebanadas muy delgadas sin una rebanadora eléctrica. Tenga muchas servilletas de papel a la mano para atrapar el inevitable goteo.

SÁNDWICH DE BISTEC CON QUESO

Espaldilla de res sin hueso o rib-eye, 675 g (1¼ lb), en una sola pieza

Aceite de oliva, 2 cucharadas

Cebolla amarilla o blanca, 1 grande, partida a la mitad y en rebanadas delgadas

Pimiento rojo, 1 grande, sin semillas y cortado transversalmente en rebanadas delgadas

Ajo, 2 dientes, finamente picados

Sal kosher y pimienta recién molida

Aceite de canola para cocinar

Queso provolone, 180 g (6 oz), partido en rebanadas delgadas

Bollos italianos o franceses crujientes, 4, abiertos a la mitad

RINDE 4 SÁNDWICHES

Congele la carne cerca de una hora hasta que esté firme pero no congelada. Usando un cuchillo delgado y filoso corte la carne transversalmente en contra del grano en rebanadas de 6 mm (¼ in) de grueso. Usando un mazo para carne aplane la carne hasta obtener un grosor uniforme de 3 mm (⅛ in) o más delgada. Corte en piezas de 7 ½ x 10 cm (4 x 4 in).

Mientras tanto, en una sartén sobre fuego medio caliente el aceite de oliva. Agregue la cebolla y el pimiento y mezcle hasta integrar por completo. Tape, reduzca el fuego a medio-bajo y cocine de 25 a 30 minutos, moviendo ocasionalmente, hasta que estén muy suaves. Destape e integre el ajo. Cocine de 2 a 3 minutos más, hasta que el ajo se suavice. Sazone con sal y pimienta. Reserve.

Precaliente el asador del horno. Caliente una plancha grande para asar o 2 sartenes sobre fuego medio-alto hasta que estén muy calientes. Engrase ligeramente con aceite la plancha o añada una cucharada de aceite a cada sartén, incline para cubrir el fondo uniformemente con el aceite. Agregue las rebanadas de carne y cocine cerca de un minuto, hasta que estén doradas por abajo. Voltee las rebanadas de carne y divida sobre la plancha en 4 montículos iguales. Cubra cada montículo con la misma cantidad de queso provolone. Cocine cerca de un minuto más, hasta que la parte inferior de los montículos estén doradas y el queso se empiece a derretir.

Mientras tanto, ponga los bollos, con el lado cortado hacia arriba, sobre la charola para hornear y tueste en el asador cerca de un minuto, hasta que estén ligeramente crujientes. Pase los bollos a platos. Usando una espátula de metal pase cada montículo de carne y queso a la parte inferior de un bollo. Cubra cada montículo con una cantidad uniforme de la mezcla de cebollas y pimientos, cubra con la parte superior del bollo y sirva de inmediato.

 DELE UN GIRO Los quesos mozzarella, cheddar suave o monterey jack, son buenas opciones para usar en lugar del queso provolone. En vez de la mezcla de cebollas y pimientos puede cocinar solamente una o la otra. O cubra los montículos de carne y queso con salsa marinara caliente (página 245 o comprada).

Este sándwich, un alimento básico de los restaurantes de comida naturista en los años sesenta, podría haber desaparecido igual que el camión Volkswagen. Pero, con sus gruesas y jugosas rebanadas de jitomate, tocino crujiente y sedoso aguacate, ha demostrado que tiene poder para subsistir y todavía es una de las mejores maneras de aprovechar su hora de comida.

SÁNDWICH DE TOCINO, LECHUGA, JITOMATE Y AGUACATE

Tocino ahumado en madera de manzano, 12 rebanadas gruesas

Pan integral o multigrano, 8 rebanadas

Mayonesa (página 246 o comprada)

Aguacates, 2 pequeños

Sal kosher y pimienta recién molida

Jitomates grandes rojos, 8 rebanadas

Lechuga morada, 4 hojas

RINDE 4 SÁNDWICHES

Precaliente el horno a 200°C (400°F). Extienda el tocino en una sola capa sobre una charola para hornear con borde. Hornee cerca de 20 minutos, hasta que el tocino esté dorado y crujiente. Ponga el tocino sobre toallas de papel para escurrir. (O, si lo desea, puede freír el tocino en una plancha o en una sartén grande sobre fuego medio hasta que esté crujiente.)

Precaliente el asador de su horno. Acomode el pan en una charola para hornear. Tueste cerca de 3 minutos, volteando una vez, hasta tostar por ambos lados. Pase el pan a una superficie de trabajo.

Unte la mayonesa en un lado de cada rebanada. Parta los aguacates a la mitad, retire la cáscara y el hueso. Ponga una mitad de aguacate, con el lado cortado hacia abajo, sobre 4 de las rebanadas de pan. Rebane el aguacate directamente sobre el pan, teniendo cuidado de no cortar el pan y extienda las rebanadas en abanico. Sazone con sal y pimienta. Cubra cada mitad de aguacate con 3 rebanadas de tocino cortado al tamaño de las rebanadas de pan, 2 rebanadas de jitomate y una hoja de lechuga. Ponga una rebanada de pan, con el lado de la mayonesa hacia abajo, sobre cada hoja de lechuga. Corte cada sándwich a la mitad y sirva.

 DELE UN GIRO Estos mismos ingredientes se pueden transformar en una ensalada al usar un poco menos de pan y un poco más de lechuga. Corte 4 rebanadas de pan en cubos, rocíe con aceite de oliva y tueste en el asador para hacer crutones. Mezcle las rebanadas de aguacate y jitomate con los crutones, trozos de lechuga y tocino picado grueso con su vinagreta favorita. (No le ponga mayonesa).

¿El almuerzo perfecto? Pocos adversarios pueden competir con el sándwich de tocino, lechuga y jitomate adornado con sedoso aguacate.

No hay nada de malo con el tradicional sándwich BLT (tocino, lechuga y jitomate, por sus siglas en inglés), pero yo me inclino por la versión modificada. En mis días de universitario, trabajé en un restaurante cuya fama se debía a su irresistible sándwich de aguacate y tocino. De hecho, era tan popular que la cocina se gastaba por lo menos tres cajas de aguacates al día. ¿Cuál era el secreto del sándwich? Cada ingrediente era de primera calidad: aguacates perfectamente maduros, jitomates jugosos, gruesas rebanadas de tocino crujiente pero suave y lechuga fresca de hortaliza. Todos ellos se acomodaban con cuidado entre las rebanadas de pan integral untadas con una buena cantidad de mayonesa. Y a pesar de que hice miles de esos exitosos sándwiches durante mis cuatro años ahí, hoy en día no puedo pasar por alto un delicioso sándwich BLTA (tocino, lechuga, jitomate y aguacate).

Sirva un bollo de langosta de Nueva Inglaterra y seguramente le traerá recuerdos de los veranos que pasó en la playa. Estos sándwiches están rellenos de langosta y más langosta, sin casi ningún otro relleno, así es que espere a que llegue el verano cuando haya langostas en abundancia y no estén tan caras antes de hacer estos deliciosos y suculentos bollos.

BOLLOS DE LANGOSTA

Langostas vivas, 2, cada una entre 750 g y 1 kg (1 ½ – 2 lb)

Mayonesa (página 246 o comprada), ¼ taza

Jugo fresco de limón amarillo, 2 cucharaditas

Estragón fresco, 1 cucharadita, finamente picado

Perejil liso fresco, 1 cucharadita, finamente picado

Sal de apio

Pimienta recién molida

Medias noches, de preferencia estilo Nueva Inglaterra abiertas en la parte superior, 4

Mantequilla sin sal, 4 cucharadas, a temperatura ambiente

RINDE 4 BOLLOS

Llene una olla muy grande con agua ligeramente salada y deje hervir sobre fuego alto. Agregue las langostas y tape. Vuelva a hervir y retire la tapa. Hierva cerca de 6 minutos, hasta que las langostas estén de color rojo vivo. Escurra y enjuague bajo el chorro del agua fría.

Ponga una langosta cocida, con el lado de la espalda hacia arriba, sobre una tabla para picar. Inserte la punta de un cuchillo grande para chef en la langosta, en el punto donde la cabeza se une al cuerpo. Sujetando la langosta firmemente, corte la cabeza longitudinalmente a la mitad. Repita la operación por el otro lado de la langosta cortando el cuerpo y la cola longitudinalmente a la mitad. Gire las patas y las pinzas para separarlas del cuerpo. Deseche cualquier material visceral del cuerpo y retire la carne del caparazón del cuerpo y de la cola. Usando un cascador de langosta o un cascanueces, rompa las pinzas y las patas grandes y retire la carne del caparazón. Repita la operación con la segunda langosta. Corte la carne de langosta en trozos.

En un tazón mezcle la carne de langosta con la mayonesa, jugo de limón, estragón y perejil y mezcle con cuidado. Sazone con sal de apio y pimienta. Tape y refrigere por lo menos durante 2 horas, hasta que se enfríe.

Caliente una plancha para asar o una sartén grande y gruesa sobre fuego medio-alto. Unte el exterior de la parte superior e inferior del bollo con la mantequilla. Ponga los bollos en la sartén y cocine cerca de un minuto por cada lado, volteando una vez, hasta dorar por ambos lados. Rellene cada bollo con una porción uniforme de la mezcla de langosta. Sirva de inmediato.

 DELE UN GIRO Agregue un tallo de apio finamente picado a la mezcla de langosta o cubra los bollos con una taza de lechuga romana picada. Para hacerlo más sencillo, omita la mayonesa, limón y hierbas y sirva los bollos solamente rellenos de carne de langosta y rocíe con mucha mantequilla derretida. O, si lo desea, cambie de marisco: use 350 g (¾ lb) de carne de cangrejo recién cocida en trozos o camarones cocidos sin piel y limpios, picados grueso, en lugar de la langosta.

Estos sabrosos tacos, rellenos con pescado a la parrilla y servidos con salsa de mango agri-dulce, lo dejarán soñando con largos días soleados en la playa. El aceite de la marinada junto con el aceite para engrasar la parilla ayudará a que no se peguen los relativamente delicados filetes de huachinango cuando los ase.

TACOS DE PESCADO

SALSA DE MANGO
Mango, 1

Cebolla morada,
2 cucharadas, finamente
picada

Cilantro fresco,
2 cucharadas, finamente
picado

Chile serrano, 1, sin
semillas y desvenado,
finamente picado

Jugo fresco de limón
agrio,
3 cucharadas

Sal kosher

Ralladura fina de limón,
de 1 limón

Jugo fresco de limón,
2 cucharadas

Aceite de oliva extra
virgen,
2 cucharadas

Cilantro fresco,
1 cucharada, finamente
picado

Chile en polvo, 1
cucharadita

Ajo, 1 diente, finamente
picado

Filetes de huachinango
sin piel, 500 g (1 lb)

Aceite de canola para la
parrilla

Sal kosher

Tortillas de maíz, 8

RINDE 4 PORCIONES

Para preparar la salsa, retire la cáscara y el hueso del mango y córtelo en cubos. En un tazón pequeño mezcle el mango en cubos con la cebolla, cilantro, chile, jugo de limón y sal. Tape la salsa y deje reposar mientras prepara el huachinango.

Prepare un asador para cocinar directamente sobre fuego medio. Mientras tanto, en un tazón poco profundo de cerámica o vidrio mezcle la ralladura con el jugo de limón, aceite de oliva, cilantro, chile en polvo y ajo. Agregue los filetes de huachinango y voltee para cubrir. Deje reposar mientras se calienta el asador, no más de 30 minutos.

Engrase la parrilla ligeramente con aceite. Retire los filetes de huachinango de la marinada, sazone con sal y ponga en la parrilla. (Puede usar una rejilla perforada sobre la parrilla si es que la tiene.) Tape y cocine cerca de 5 minutos, hasta que estén opacos cuando se piquen en la parte más gruesa. (No es necesario voltear los filetes de huachinango). Pase a una tabla para picar. No se preocupe si los filetes se desbaratan cuando los retire de la parrilla. Cubra holgadamente con papel aluminio para mantenerlos calientes y deje reposar durante 3 minutos.

Mientras tanto, ponga las tortillas en la parrilla y cocine cerca de un minuto en total, volteando una sola vez, hasta que estén muy calientes. Envuelva en una servilleta de tela o en un trapo de cocina para mantenerlas calientes.

Desmenuce el pescado en trozos pequeños y pase a un platón para servir. Sirva de inmediato acompañando con la salsa y las tortillas, permitiendo a los comensales llenar sus propios tacos.

 DELE UN GIRO Los tacos de pescado pueden servirse con ensalada de col en lugar de salsa: mezcle 4 tazas de col verde en tiras finas con una cebollita de cambray, las partes blancas y verdes picadas finamente, ⅓ taza de mayonesa (página 246 o comprada), 2 cucharadas de jugo fresco de limón y 2 cucharadas de cilantro fresco finamente picado. Sazone con sal y pimienta y deje reposar alrededor de 30 minutos antes de servir.

Relleno de ingredientes característicos de una tienda de especialidades como el corned beef, el ácido sauerkraut y el aderezo ruso cremoso, este sándwich caliente con queso tiene a dos ciudades muy diferentes que reclaman ser su lugar de origen: Nueva York y Omaha, en los Estados Unidos. Si tiene corned beef hecho en casa, por supuesto úselo en esta receta.

SÁNDWICH REUBEN

Mayonesa (página 246 o comprada), ⅔ taza

Salsa picante estilo catsup o salsa catsup (página 246 o comprada), ¼ taza

Pepinillos, 2 cucharadas, finamente picados

Corned beef cocido (página 97 o comprado), aproximadamente 350 g (¾ lb), partido en rebanadas

Pan de centeno, 8 rebanadas

Queso suizo, 8 rebanadas

Sauerkraut refrigerado (col agria), 1 taza, bien escurrido

Mantequilla sin sal, ½ taza, a temperatura ambiente

RINDE 4 SÁNDWICHES

Para preparar el aderezo ruso, mezcle en un tazón pequeño la mayonesa con la salsa picante y los pepinillos picados. Reserve.

Para preparar los sándwiches, precaliente una plancha para asar o 2 sartenes grandes sobre fuego medio. Agregue el corned beef y cocine cerca de un minuto, volteando ocasionalmente, hasta que esté caliente pero no dorado. Retire del fuego.

Coloque las rebanadas de pan sobre una superficie de trabajo y unte cada rebanada con una cucharada del aderezo. Recorte las rebanadas de queso suizo al tamaño de las rebanadas de pan y ponga una rebanada de queso sobre cada una de las 4 rebanadas de pan. Cubra cada una con una cuarta parte del corned beef, seguido de ¼ taza del sauerkraut y una rebanada más de queso. Cubra con las rebanadas restantes de pan, con el lado del aderezo hacia abajo. Unte el exterior de ambas partes de cada sándwich con aproximadamente 2 cucharadas de mantequilla.

Coloque los sándwiches en la plancha y reduzca el fuego a medio-bajo. Cocine alrededor de 4 minutos, hasta que estén dorados en la parte inferior. Los sándwiches deben cocinarse relativamente despacio para permitir que el pan se dore sin quemarse mientras que se derrite el queso. Voltee los sándwiches y dore cerca de 4 minutos más, hasta dorar por el otro lado. Pase a una tabla para picar y corte a la mitad. Sirva calientes acompañando a la mesa con el aderezo restante.

 DELE UN GIRO   Use pastrami o jamón ahumado en lugar de corned beef y pan pumpernickel en lugar de pan de centeno. La ensalada de col (página 180) es excelente en lugar de sauerkraut y queso, especialmente con pastrami.

PLATILLOS PARA COMIDAS O CENAS

Mis primeros recuerdos de las comidas o cenas son de cuando me sentaban en el directorio telefónico para que alcanzara la mesa, pero tengo borroso lo que cenábamos. Muchos platillos me hacían sentir bien en ese entonces y todavía lo hacen. Podría haber sido un enorme plato de spaghetti con albóndigas. O quizás era una rebanada gruesa de albondigón sobre un montículo cremoso de puré de papas. ¿Cuándo me empezaron a gustar el pollo frito o el filete Stroganoff que eran las especialidades de la casa de los Rodgers? Hoy en día, después de un ajetreado día de trabajo, se me antoja un guisado, un asado o algún otro platillo estofado que se derrita en la boca. Cuando la vida era más tranquila, alguien de la familia cocinaba estos platillos durante la tarde para que estuvieran listos para la hora de la cena, lo cual hoy en día puede resultar impráctico para muchos cocineros. La solución es sencilla: haga grandes cantidades de sus platillos favoritos durante el fin de semana cuando tenga más tiempo para cocinar y congele los sobrantes. De esa manera, siempre tendrá comida reconfortante a su alcance.

En muchas casas la cena del lunes requiere de alimentos reconfortantes, ya que la gente trata de integrarse con tranquilidad a la semana de trabajo. Un plato lleno de spaghetti cubierto con albóndigas enteras es el platillo ideal. Haga una doble ración de salsa marinara para que tenga un recipiente en el congelador listo en cualquier momento.

SPAGHETTI CON ALBÓNDIGAS

Aceite de oliva, 1 cucharada

Cebolla amarilla o blanca, ½ taza, finamente picada

Ajo, 2 dientes, finamente picados

Migas gruesas de pan fresco, ¾ taza

Leche entera, ½ taza

Huevo, 1, batido

Perejil liso fresco, 2 cucharadas, finamente picado

Orégano seco, 1½ cucharadita

Sal kosher, 1½ cucharadita

Pimienta recién molida, ½ cucharadita

Carne molida de res, 500 g (1 lb)

Carne molida de puerco y ternera, 250 g (½ lb) *de cada una*

Salsa marinara (página 245), 6 tazas

Spaghetti, 500 g (1 lb)

Queso parmesano recién rallado para acompañar

RINDE 6 PORCIONES

Precaliente el horno a 200°C (400°F). Engrase ligeramente con aceite una charola para hornear con borde. En una sartén pequeña sobre fuego medio, caliente el aceite. Agregue la cebolla y cocine cerca de 4 minutos, moviendo ocasionalmente, hasta suavizar. Añada el ajo y cocine cerca de un minuto más, hasta que aromatice. Pase a un tazón grande y deje enfriar hasta que entibie.

Mientras tanto, ponga las migas de pan en un tazón pequeño. Añada la leche y deje reposar durante 5 minutos. Pase la mezcla a un colador y escurra haciendo presión sobre el pan para extraer el exceso de leche. Agregue las migas de pan remojado, el huevo, perejil, orégano, sal y pimienta a la mezcla de la cebolla y revuelva hasta integrar por completo. Añada la carne molida y mezcle con sus manos hasta integrar. No mezcle demasiado para que las albóndigas no queden duras.

Con las manos húmedas forme 18 albóndigas con la carne y acomode en la charola preparada para hornear. Hornee durante 20 minutos, hasta que la superficie se dore. Voltee y hornee durante 15 minutos más, hasta que estén totalmente cocidas. Retire del horno.

En una olla grande sobre fuego medio ponga a hervir la salsa marinara. Agregue las albóndigas. Deseche la grasa de la charola para hornear, añada ½ taza de agua hirviendo a la charola y, con ayuda de una espátula de madera, desprenda los trocitos dorados que le hayan quedado. Vierta en la salsa marinara y mezcle. Hierva lentamente cerca de 20 minutos, hasta que los sabores se hayan mezclado.

Mientras tanto, ponga a hervir agua salada en una olla grande sobre fuego alto. Agregue el spaghetti y mueva ocasionalmente, hasta que el agua vuelva a hervir. Cocine siguiendo las instrucciones del paquete hasta que esté al dente. Escurra en un colador. Regrese la pasta a la olla. Añada aproximadamente la mitad de la salsa a la pasta, sin las albóndigas, y mueva para mezclar. Divida la pasta entre tazones individuales para pasta y cubra cada porción con más salsa y la misma cantidad de albóndigas. Sirva caliente acompañando con el queso parmesano.

 DELE UN GIRO Para un gran platillo horneado, sustituya el spaghetti por ziti y no lo cueza por completo. Mezcle la pasta escurrida con las albóndigas y la salsa, pase a un platón refractario y cubra con una taza de queso parmesano recién rallado. Meta al horno precalentado a 175°C (350°F) cerca de 15 minutos, hasta que el queso se dore.

Los mejores sheperd's pays empiezan a prepararse con un guisado de cordero cocido lentamente con aroma de romero y un toque de ajo. Cubierto con un cremoso puré de papas, la superficie se dora en el horno. Si tiene dificultad para encontrar espaldilla de cordero sin hueso, busque el corte en una carnicería que les surta a cocineros mediterráneos.

SHEPHERD'S PAY

Espaldilla de cordero sin hueso, 1 kg (2 lb)

Sal kosher y pimienta recién molida

Aceite de oliva, 2 cucharadas

Mantequilla sin sal, 8 cucharadas

Cebolla amarilla o blanca, 1 grande, partida en cubos

Zanahorias, 3, partidas en cubos

Apio, 3 tallos, partidos en cubos

Ajo, 2 dientes pequeños, finamente picados

Harina de trigo simple, 6 cucharadas

Caldo de res (página 244) o consomé, 3⅓ tazas

Vino blanco seco, ⅔ taza

Romero fresco, 2 cucharaditas, finamente picado

Papas para hornear, 1 ½ kg (3 lb)

Crema espesa, aproximadamente ⅓ taza, caliente

Chícharos frescos o descongelados, 1 taza

RINDE 6 PORCIONES

Precaliente el horno a 160°C (325°F). Retire el exceso de grasa del cordero y corte en cubos de 2 ½ cm (1 in). Sazone con sal y pimienta. En una olla grande de hierro fundido con tapa sobre fuego medio-alto caliente el aceite. Trabajando en tandas para no amontonar, agregue los cubos de cordero y cocine cerca de 5 minutos por tanda, moviendo ocasionalmente, hasta dorar por todos lados. Pase a un plato.

Agregue 4 cucharadas de la mantequilla a la olla y derrita sobre fuego medio. Añada la cebolla, zanahorias, apio y ajo; cubra y cocine cerca de 5 minutos, moviendo ocasionalmente, hasta que las zanahorias estén suaves pero crujientes. Destape, espolvoree con la harina y mezcle hasta integrar por completo. Vierta gradualmente el caldo y el vino; agregue el romero. Lleve a ebullición sobre fuego medio moviendo frecuentemente. Vuelva a poner el cordero en la olla, tape, meta al horno y cocine cerca de 1 ½ hora, hasta que el cordero esté suave.

Alrededor de 30 minutos antes de que el cordero esté listo, engrase 6 tazones refractarios con capacidad de 2 tazas o un refractario con capacidad de 3 litros (3 qt). Retire la piel de las papas y corte en trozos. En una olla ponga las papas con agua salada hasta cubrir, tape la olla y deje hervir sobre fuego alto. Destape, reduzca el fuego a medio y hierva lentamente de 20 a 25 minutos, hasta que las papas estén suaves. Escurra perfectamente. Regrese las papas a la olla y caliente sobre fuego medio-bajo durante 2 minutos para que se evapore el exceso de humedad. Corte 3 cucharadas de la mantequilla en piezas y agregue a las papas. Usando una batidora manual o un prensador de papas bata las papas o haga puré mientras que añade suficiente crema para crear una mezcla tersa. Sazone con sal y pimienta.

Sazone la mezcla de cordero con sal y pimienta, integre los chícharos y vierta en el refractario preparado. Extienda el puré de papas uniformemente sobre la superficie. Corte la cucharada restante de mantequilla en trocitos y cubra el puré con los trocitos. Hornee durante 20 minutos, hasta que la superficie esté ligeramente dorada. Retire del horno, deje reposar cerca de 5 minutos y sirva caliente.

 DELE UN GIRO Para un pay ranchero, sustituya el cordero por 1 kg (2 lb) de carne de res sin hueso y el romero por tomillo fresco. Para una cubierta más rica, bata 180 g (6 oz) de queso de cabra fresco sin corteza con el puré de papas.

Estas sabrosas costillitas ilustran perfectamente cómo la carne estofada cocinada con el hueso puede resultar suculenta, y lo suficientemente suave para cortarse con un tenedor. El hueso también enriquece el líquido del estofado que acompaña maravillosamente a la cremosa polenta entrelazada con queso. Un vino de sabor fuerte como el Syrah o el Zinfandel es ideal para cocinar este guisado y acompañarlo en la mesa.

COSTILLITAS ESTOFADAS CON POLENTA

Aceite de oliva, 3 cucharadas

Costillitas carnosas y con hueso cortadas individualmente, 3 kg (6 lb)

Sal kosher, 4 cucharaditas

Pimienta recién molida, 1 cucharadita

Cebolla amarilla o blanca, 1, picada

Zanahorias, 2, partidas en cubos

Ajo, 6 dientes, picados

Harina de trigo simple, 1/3 taza

Vino tinto fuerte, 2 tazas

Caldo de res (página 244) o consomé, 3 tazas

Pasta de tomate, 2 cucharadas

Romero fresco, 1 cucharada, finamente picado

Hoja de laurel, 1

Leche entera, 1 taza

Polenta de cocción rápida, 1 1/3 taza

Queso parmesano, 1/2 taza recién rallado, más el necesario para acompañar

RINDE 6 PORCIONES

Precaliente el horno a 160°C (325°F). En una olla grande de hierro fundido con tapa sobre fuego medio-alto caliente 2 cucharadas del aceite. Sazone las costillitas con 2 cucharaditas de sal y la pimienta. Trabajando en tandas para no amontonar, agregue las costillitas a la olla y cocine de 5 a 6 minutos por tanda, moviendo ocasionalmente, hasta dorar por todos lados. Pase a un plato.

Agregue la cucharada restante de aceite a la olla y caliente. Añada la cebolla y las zanahorias; cocine cerca de 5 minutos, moviendo ocasionalmente, hasta que la cebolla se suavice. Integre el ajo y cocine cerca de un minuto, hasta que aromatice. Espolvoree la harina y mezcle hasta incorporar por completo. Integre lentamente el vino y luego el caldo. Agregue la pasta de tomate, romero y hoja de laurel. Regrese las costillitas a la olla. Las costillitas deberán estar apenas cubiertas por el líquido. Si no lo están, agregue el agua caliente necesaria. Deje hervir. Tape la olla, ponga en el horno y cocine alrededor de 2 ½ horas, cambiando la posición de las costillitas cada 45 minutos para asegurarse de que estén cubiertas por el líquido y que se estén cocinando uniformemente, hasta que queden muy suaves. Pase las costillitas a un platón profundo para servir (no se preocupe si la carne se separa de los huesos) y cubra holgadamente con papel aluminio para mantenerlas calientes.

Deje reposar el líquido del cocimiento durante 5 minutos. Retire la grasa de la superficie y deseche. Lleve a ebullición sobre fuego alto. Cocine cerca de 10 minutos, moviendo, hasta que se reduzca a una cuarta parte. Deseche la hoja de laurel. Regrese las costillitas a la olla.

Justo antes de servir prepare la polenta: En una olla gruesa sobre fuego alto hierva 3 tazas de agua, la leche y las 2 cucharaditas restantes de sal. Integre la polenta, batiendo lentamente, y reduzca el fuego a medio-bajo. Cocine cerca de 2 minutos, batiendo frecuentemente, hasta espesar. Integre la ½ taza de queso parmesano. Divida la polenta entre tazones precalentados para servir, cubra con las costillitas y la salsa. Sirva de inmediato acompañando a la mesa con más queso parmesano.

 DELE UN GIRO Si tiene costillitas que le hayan sobrado, las puede convertir fácilmente en un divino ragú. Simplemente retire los huesos, deshebre la carne, vuelva a poner en la salsa y recaliente. Mezcle con pappardelle recién cocido.

En una noche fría, un tazón de suaves costillitas desbaratándose sobre una cremosa polenta garantiza que lo calentará hasta los huesos.

En San Francisco, mi lugar de origen, las noches a menudo son frías y con neblina aun en el verano. Mis amigos y yo acumulábamos durante todo el año un sustancioso repertorio de platillos para la cena diseñados para calentarnos y muchas veces los cocinábamos juntos. Mí querida amiga Lillian era famosa por sus costillitas, bocados de suave carne desprendiéndose del hueso cubiertos de una rica salsa de vino. En una cena en la que todos llevábamos algún platillo, hice la polenta según la receta que me dio un abarrotero amigo mío de North Beach, la famosa colonia italiana de la ciudad. Acompañamos la carne con la polenta y experimentamos por primera vez lo que los italianos habían conocido por siglos: un maridaje culinario creado en el cielo.

Capas de suave pasta, salsa de carne cocinada lentamente y una cremosa salsa bechamel, hacen de esta satisfactoria lasaña el platillo ideal para alimentar a un grupo grande, y es simplemente una de las comidas reconfortantes más perfectas. Los anfitriones ocupados apreciarán que se puede preparar con anticipación. La puede preparar, tapar y refrigerar hasta por 12 horas antes de hornearla durante una hora.

LASAÑA A LA BOLOÑESA

Aceite de oliva, 1 cucharada

Panceta o tocino, 175 g (¼ lb), partido en cubos

Cebolla amarilla o blanca, 2 pequeñas

Zanahoria, 1, finamente picada

Apio, 1 tallo, finamente picado

Ajo, 2 dientes, finamente picados

Carne de res, puerco y ternera molida, 500 g (1 lb) de cada una

Vino blanco seco, 1 taza

Jitomates enteros, 1 lata de 840 g (28 oz)

Albahaca seca y orégano seco, 1 cucharadita de cada uno

Sal kosher y pimienta recién molida

Hojas de laurel, 3

Crema espesa, ½ taza

Leche entera, 4 tazas

Mantequilla sin sal, ½ taza más 1 cucharada cortada en cubos

Harina de trigo simple, ½ taza

Hojas frescas de lasaña de espinaca, 350 g (¾ lb)

Queso parmesano, 1 taza, recién rallado

RINDE 8 PORCIONES

Para hacer la salsa boloñesa, caliente el aceite en una olla grande sobre fuego medio. Agregue la panceta y cocine cerca de 8 minutos, moviendo ocasionalmente, hasta dorar ligeramente. Pique una cebolla finamente e integre a la olla junto con la zanahoria y el apio. Tape y cocine cerca de 5 minutos, moviendo ocasionalmente, hasta que las verduras se suavicen. Integre el ajo y cocine cerca de un minuto, hasta que aromatice. Agregue las carnes molidas y suba el fuego a medio-alto. Cocine cerca de 10 minutos, moviendo y separándolas con una cuchara de madera, hasta que ya no estén de color rosa. Agregue el vino y cocine cerca de 5 minutos, hasta que casi se haya evaporado. Desbarate los jitomates con sus dedos. Integre los jitomates y su jugo, albahaca, orégano, 2 cucharaditas de sal, 1 cucharadita de pimienta y 2 hojas de laurel; lleve a ebullición. Cuando suelte el hervor reduzca el fuego a bajo y hierva lentamente, sin tapar, durante 1 ¾ hora, moviendo ocasionalmente, hasta que los jitomates se desbaraten y se forme una salsa de carne espesa, agregando un poco de agua si se espesara demasiado. Añada la crema y hierva lentamente durante 15 minutos más. Deseche las hojas de laurel.

Para preparar la salsa bechamel, rebane grueso la cebolla restante y coloque en una olla. Agregue la leche y la hoja de laurel restante; lleve a ebullición sobre fuego medio. Tape, retire del fuego y deje reposar 10 minutos. Deseche la cebolla y la hoja de laurel. En otra olla sobre fuego medio, derrita la ½ taza de mantequilla. Integre la harina, batiendo con un batidor globo. Reduzca el fuego a medio-bajo y deje burbujear durante un minuto. Integre gradualmente la leche caliente, batiéndola; suba el fuego a medio y deje hervir suavemente, batiendo a menudo. Reduzca el fuego a medio-bajo, hierva lentamente cerca de 5 minutos, batiendo a menudo, hasta obtener una mezcla tersa y ligeramente espesa. Sazone con sal y pimienta.

Mientras tanto, precaliente el horno a 175°C (350°F). Engrase con mantequilla un refractario de 25 x 38 cm (10 x 15 in). Para armar, corte las hojas de lasaña a 38 cm (15 in) de largo. Extienda ½ taza de salsa bechamel en la base del refractario. Cubra con una capa de pasta, una tercera parte de la salsa boloñesa, una cuarta parte de la bechamel y ¼ taza del queso parmesano. Repita la operación dos o tres veces más con las capas de pasta, boloñesa, bechamel y parmesano. Termine con una capa final de pasta, la bechamel restante, el parmesano y una cucharada de mantequilla en cubos. Hornee, sin tapar, cerca de 30 minutos, hasta que la bechamel esté ligeramente dorada y la salsa burbujee. Deje reposar durante 10 minutos, corte en cuadros y sirva caliente.

Un robusto corned beef y un manojo de verduras cociéndose lentamente en una olla sobre la estufa nos avisa que es el día de la fiesta de San Patricio. Pero esta comida sencilla de preparar es muy rica como para servirla solamente durante esta celebración una vez al año. Además usted puede poner lo que le sobre en un delicioso hash de papas con corned beef (página 15) o en un sándwich Reuben (página 84).

GUISADO DE CORNED BEEF Y COL

Tomillo fresco, 3 ramas

Perejil liso fresco, 5 ramas

Pecho de res en salmuera, 1 (aproximadamente 1 ¾ kg/3 ½ lb)

Hojas de laurel, 2

Granos de pimienta negra, 1 cucharadita

Cebollas blancas para hervir, 12

Zanahorias, 6, cortadas en trozos grandes

Papas rojas pequeñas, 1 kg (2 lb)

Col verde, 1 cabeza pequeña, cortada en 6 u 8 rebanadas

Crema espesa, 1 taza

Salsa preparada de rábano picante (horseradish), 3 cucharadas

Sal kosher

RINDE DE 6 A 8 PORCIONES

Amarre las ramas de tomillo y de perejil con hilo de cocina. Enjuague el pecho de res, ponga en una olla grande de hierro fundido con tapa que pueda meter al horno y agregue agua hasta cubrir por 2 ½ cm (1 in). Lleve a ebullición sobre fuego medio-alto, retirando la espuma que suba a la superficie. Agregue el manojo de hierbas, las hojas de laurel y granos de pimienta, reduzca el fuego a medio-bajo, tape y hierva lentamente entre 2 ½ y 3 horas, hasta que casi esté suave.

Añada las cebollas, zanahorias, papas sin pelar y las rebanadas de col a la olla y vuelva a hervir lentamente. Cocine cerca de 25 minutos, hasta que las verduras y el pecho de res estén muy suaves.

Mientras tanto, en un tazón con la batidora de mano o un batidor globo, bata la crema hasta que se formen picos suaves. Usando el batidor globo integre el horseradish con movimiento envolvente y sazone con sal. Tape y refrigere la crema de horseradish hasta el momento de servir.

Usando una cuchara ranurada pase las verduras a un platón grande. Pase el pecho de res a una tabla de picar. Rebane la carne en contra del grano y acomode sobre el platón con las verduras. Sirva caliente acompañando a la mesa con la crema de horseradish.

 DELE UN GIRO   Cocinar el pecho de res en casa es sencillo pero requiere de cierta planeación. Para hacer la salmuera, mezcle en un tazón grande 8 tazas de agua con 1 ½ taza de sal kosher, ½ taza de azúcar, 3 cucharadas de especias para salmuera y 3 dientes de ajo machacados. Mueva hasta que la sal y el azúcar se disuelvan. Sumerja un trozo de pecho de res de 2 kg (4 lb) en la mezcla, tape y refrigere entre 5 y 8 días. Cuando esté listo para cocinarse, retire el pecho de la salmuera, enjuague perfectamente debajo del chorro de agua fría y continúe siguiendo las instrucciones de la receta.

El pay de pollo es un ejemplo de lo mejor de la cocina casera americana además de ser una especie de curandero, con una salsa cremosa y una tapa de pasta hojaldrada que garantizan calmar hasta al que trae los nervios de punta. Tanto la pasta como el relleno se pueden preparar con anticipación y refrigerar hasta por 8 horas antes de armar y hornear.

PAY DE POLLO

Mantequilla sin sal,
6 cucharadas

Champiñones,
250 g (½ lb), partidos en cuartos

Poros, las partes blancas y verde pálido,
1 taza, picados

Zanahorias, ½ taza,
finamente picada

Chícharos frescos o descongelados, ⅓ taza

Harina de trigo simple,
⅓ taza más 1 cucharada

Caldo de pollo (página 244) o consomé,
4½ tazas

Jerez seco, ⅓ taza

Estragón fresco,
2 cucharaditas, finamente picado

Pollo cocido deshebrado (de Caldo de Pollo página 244 o comprado en la rosticería), 4 tazas

Sal kosher y pimienta recién molida

Masa quebrada para corteza doble (página 248)

Huevo grande, 1

RINDE 6 PORCIONES

Para preparar la salsa y las verduras, en una sartén grande sobre fuego medio derrita una cucharada de mantequilla. Agregue los champiñones y cocine cerca de 6 minutos, moviendo ocasionalmente, hasta que empiecen a dorar. Integre los poros y zanahorias, tape y cocine cerca de 5 minutos, moviendo ocasionalmente, hasta que los poros estén suaves. Retire del fuego e integre los chícharos.

En una olla grande sobre fuego medio-bajo derrita las 5 cucharadas restantes de mantequilla. Integre la harina, batiendo con un batidor globo y deje burbujear suavemente durante un minuto. Gradualmente integre el caldo, jerez y el estragón, batiendo. Lleve a ebullición, batiendo frecuentemente. Integre el pollo deshebrado y la mezcla de champiñones y poros; sazone con sal y pimienta. Deje enfriar cerca de una hora, hasta entibiar.

Precaliente el horno a 200°C (400°F). Usando una cuchara pase la mezcla de pollo a 6 tazones para sopa o ramekins con capacidad de 1 ½ taza, que se puedan meter al horno.

Ponga la masa sin la envoltura sobre una superficie de trabajo ligeramente enharinada y espolvoree la superficie con harina. (Si la masa está muy fría y dura, deje reposar a temperatura ambiente durante unos minutos, hasta que empiece a suavizarse antes de extenderla con el rodillo). Extienda con el rodillo para hacer un rectángulo de aproximadamente 50 x 32 cm (20 x 13 in) y 3 mm (⅛ in) de grueso. Usando un plato de 15 cm (6 in) de diámetro como molde, use un cuchillo para cortar 6 círculos. Bata el huevo con una pizca de sal. Barnice ligeramente cada círculo con el huevo. Ponga un círculo, con el lado con huevo hacia abajo sobre cada ramekin, manteniendo la masa firme y presionando alrededor de las orillas para que se adhiera. Ponga los ramekins sobre una charola para hornear con borde. Barnice ligeramente la superficie con el huevo. Hornee alrededor de 25 minutos, hasta que la masa esté dorada y esponjada. Pase cada ramekin a un plato y sirva.

 DELE UN GIRO Use la masa para bisquets (página 162) en lugar de la masa quebrada. Extienda la masa con un rodillo hasta dejarla de aproximadamente 1 ¼ cm (½ in) de grueso, corte círculos que queden justo adentro del borde de cada ramekin. Hornee a 200°C (400°F) alrededor de 20 minutos, hasta que la cubierta de bisquet se dore.

El jamón debe su popularidad no sólo a su sabor salado y ahumado sino también a su poder de alimentar a mucha gente con muy poco esfuerzo. Esta receta, que lleva un sencillo glaseado de jengibre y naranja, no es la excepción. Agregue un montón de bisquets hechos en casa (página 162) y un platón de papas rebanadas gratinadas (página 196) para una extraordinaria comida reconfortante.

JAMÓN HORNEADO

Pierna de jamón ahumado,
1 (de aproximadamente 2 ½ kg/5 lb)

Mantequilla sin sal,
1 cucharada

Jengibre fresco,
2 cucharadas, sin piel y finamente picado

Ron añejo, whiskey americano (bourbon) o jugo de naranja fresco,
3 cucharadas

Mermelada de naranja amarga, ½ taza

Mostaza dijon,
1 cucharada

RINDE 12 PORCIONES

Ponga una rejilla en el tercio inferior del horno y precaliéntelo a 160°C (325°F). Forre una charola para asar con papel aluminio y coloque una rejilla para asar en la charola.

Usando un cuchillo filoso haga unos cortes en la grasa del jamón en forma cruzada creando rombos de 3 ¾ cm (1 ½ in). Ponga el jamón sobre la rejilla adentro de la charola para asar, acomodándolo con el lado de la grasa hacia abajo. Agregue 2 tazas de agua a la charola y cubra holgadamente con papel aluminio. Hornee cerca de 1 ¼ hora, hasta que un termómetro de lectura instantánea insertado en la parte más gruesa del jamón, sin tocar el hueso, registre 60°C (125°F).

Mientras tanto prepare el glaseado. En una olla pequeña sobre fuego medio derrita la mantequilla. Agregue el jengibre y cocine cerca de 2 minutos, moviendo ocasionalmente, hasta suavizar. Añada el ron y deje hervir cerca de 2 minutos, hasta que se reduzca a la mitad. Integre la mermelada y la mostaza, lleve a ebullición y cuando suelte el hervor, retire del fuego y deje enfriar.

Retire el jamón del horno y deseche el papel aluminio. Suba la temperatura del horno a 200°C (400°F). Unte el glaseado sobre el jamón, metiendo un poco en los cortes marcados. Vuelva a hornear cerca de 15 minutos, sin tapar, hasta que el glaseado se derrita en el jamón.

Pase el jamón glaseado a una tabla para picar. Deje reposar durante 15 minutos y corte en rebanadas paralelas al hueso. Sirva caliente o tibio.

 DELE UN GIRO Después de rebanar el jamón, asegúrese de reservar el hueso para añadir a su receta favorita de sopa de chícharo o para una olla grande de frijoles. Pique el jamón sobrante e integre a la sopa o a los frijoles.

Los gnocchi hechos en casa son la clase de platillo que parece haber sido preparado por varias tías de pelo canoso. Pero estos dumplings de papa, ligeros como plumas, mezclados con un aromático pesto de albahaca son excepcionalmente fáciles de hacer. Usted puede hacer los gnocchi hasta con 8 horas de anticipación y refrigerar hasta una hora antes de cocinarlos.

GNOCCHI DE PAPA CON PESTO

Papas para hornear,
830 g (1²⁄₃ lb)

Sal kosher

Huevos grandes, 2, batidos

Harina de trigo simple,
aproximadamente 1¹⁄₃ taza
o la necesaria

Pesto de albahaca (página
245),
½ taza

Queso parmesano recién
rallado para acompañar

RINDE DE 4 A 6
PORCIONES

En una olla grande ponga las papas con piel y agregue agua salada hasta cubrir por 2 ½ cm (1 in). Tape la olla y lleve a ebullición sobre fuego alto. Cuando suelte el hervor reduzca el fuego a medio-bajo y hierva lentamente cerca de 30 minutos, hasta que se sientan suaves al picarlas con un cuchillo. Escurra y enjuague bajo el chorro del agua fría hasta que se puedan tocar. Retire la piel y regréselas a la olla. Cocine sobre fuego medio-bajo cerca de 2 minutos, sacudiendo frecuentemente la olla, para que se evapore el exceso de humedad.

Presione las papas calientes a través de un pasapurés colocado sobre un tazón. Integre los huevos y 2 cucharaditas de sal. Gradualmente integre la cantidad suficiente de harina para hacer una masa suave, teniendo cuidado de no añadir demasiada. Pase la masa a una superficie de trabajo ligeramente enharinada y amase cuidadosamente hasta que esté tersa, agregando sólo la harina necesaria para que no se pegue. Divida la masa en 4 porciones iguales.

Enharine ligeramente una charola para hornear con borde. Con sus manos enharinadas, pase una porción de la masa a una superficie de trabajo ligeramente enharinada. Usando las palmas de sus manos, ruede la masa para hacer una cuerda de aproximadamente 2 cm (¾ in) de diámetro. Corte la cuerda en piezas de 2 ½ cm (1 in) de largo y pase a la charola preparada para hornear. Repita la operación con la masa restante.

Ponga a hervir una olla grande con agua salada sobre fuego alto. Agregue la mitad de los gnocchi al agua y hierva lentamente hasta que suban a la superficie, cocine un minuto más. Usando una espumadera, cuidadosamente pase los gnocchi a un tazón de servir precalentado y tape para mantener calientes. Repita la operación con los gnocchi restantes, reserve ½ taza del agua de cocción y deseche la restante.

Agregue el pesto y aproximadamente ¼ taza del agua de cocción a los gnocchi. Mezcle con cuidado, agregando más agua si fuera necesario para hacer una salsa cremosa. Sirva de inmediato acompañando a la mesa con el queso parmesano.

 DELE UN GIRO Los gnocchi combinan bien con una gran variedad de diferentes salsas; desde la de mantequilla negra y salvia o la salsa marinara (página 245), hasta con un sustancioso ragú de costillas (vea "Dele un giro", en la página 92), o con la salsa boloñesa (página 96).

A casi a todo el mundo le gustan los crujientes filetes de pescado acompañados con un montón de crocantes papas fritas, y usted puede hacer este venerable platillo inglés exitosamente en casa si coordina los pasos con cuidado. Estas papas, llamadas "chips" por los ingleses, se "fríen en el horno" para facilitar el trabajo al cocinero. Para una versión más auténtica, puede hacer las papas de la página 161.

FILETES DE PESCADO CAPEADOS CON PAPAS A LA FRANCESA

SALSA TÁRTARA

Mayonesa (página 246 o comprada), 1 taza

Pepinillos dulces picados, 2 cucharadas

Alcaparras nonpareil, 1 cucharada, enjuagadas

Perejil liso fresco, 1 cucharada, finamente picado

Harina preparada para pastel, 1 taza

Polvo para hornear, 1½ cucharadita

Sal kosher

Cerveza lager, ½ taza o la necesaria

Huevo grande, 1, batido

Aceite de canola, 5 cucharadas más lo necesario para freír

Papas para hornear, 4 grandes

Filetes de bacalao o abadejo sin piel, 675g (1¼ lb), cortado en 4 piezas

Vinagre de malta y rebanadas de limón amarillo para acompañar

RINDE 4 PORCIONES

Para preparar la salsa tártara, mezcle en un tazón la mayonesa, pepinillos, alcaparras y perejil. Tape y refrigere por lo menos durante una hora para permitir que los sabores se mezclen.

Para preparar el capeado, bata en un tazón la harina con el polvo para hornear y ½ cucharadita de sal. Agregue ½ taza de cerveza, el huevo y 2 cucharadas del aceite y bata con un batidor globo hasta que los ingredientes se mezclen (debe quedar ligeramente grumosa). La mezcla deberá tener la consistencia de la masa para hot cakes; agregue más cerveza si fuera necesario. Deje reposar a temperatura ambiente durante una hora mientras prepara las papas.

Para preparar las papas, coloque las rejillas del horno en el centro y en el tercio superior del horno y precaliente a 200°C (400°F). Corte cada papa con piel longitudinalmente a la mitad y corte las mitades una vez más longitudinalmente en rebanadas de aproximadamente 1 ¼ cm (½ in). Acomode las rebanadas sobre 2 charolas para hornear con borde en una sola capa, rocíe con 3 cucharadas de aceite y mezcle para cubrir. Ponga una charola en cada rejilla del horno y hornee durante 20 minutos. Voltee las rebanadas de papa, cambie las charolas de rejilla, gire 180° y continúe horneando alrededor de 25 minutos más, hasta que estén suaves y doradas.

Justo antes de que las papas estén listas, ponga una rejilla grande de metal sobre otra charola para hornear con borde y coloque junto a la estufa. Vierta aceite en una olla grande hasta obtener una profundidad de 7 ½ cm (3 in) y caliente sobre fuego alto hasta que registre una temperatura de 175°C (350°F) en un termómetro para fritura profunda. Retire las papas del horno. Reduzca la temperatura del horno a 100°C (200°F). Acomode las papas en una sola charola para hornear, sazone con sal y meta al horno para mantener calientes.

Trabajando en tandas para no amontonar, sumerja las piezas de pescado en el capeado, dejando que el exceso escurra en el tazón y ponga en el aceite caliente. Fría en fritura profunda de 3 a 4 minutos, hasta que estén doradas. Pase a la rejilla y mantenga calientes en el horno mientras fríe el pescado restante. Sirva el pescado y las papas calientes acompañando a la mesa con la salsa tártara, vinagre y rebanadas de limón.

 DELE UN GIRO Para preparar un sensacional sándwich de pescado frito, sirva el pescado frito y la salsa tártara en un bollo suave, como una media noche. Añada un poco de lechuga picada y rebanadas de jitomate, si lo desea, y acompañe con papas fritas.

El albondigón rara vez se lleva el premio por su buen aspecto, pero ¡qué rico puede ser! Use carne de res, ternera y puerco, un trío que nos brinda un albondigón especialmente sabroso y fácil de rebanar. Y no deje de hacer el gravy con la grasa que suelte la carne para bañar el albondigón y, por supuesto, sírvalo sobre una montaña de cremoso puré de papas.

ALBONDIGÓN CON GRAVY

Aceite de canola para engrasar

Cebolla amarilla o blanca, 1, finamente picada

Migas de pan seco, ½ taza

Catsup (página 246 o comprada), ½ taza más 3 cucharadas

Huevos grandes, 2, batidos

Salsa inglesa, 2 cucharadas

Sal kosher y pimienta recién molida

Carne de res molida, 500 g (1 lb)

Carne de puerco y ternera molida, 250 g (½ lb) *de cada una*

Mantequilla sin sal, aproximadamente 1 cucharada

Harina de trigo simple, 2 cucharadas

Caldo de res (página 244) o consomé, 2 tazas

RINDE 6 PORCIONES

Precaliente el horno a 175°C (350°F). Engrase ligeramente con aceite una charola para asar.

En un tazón grande mezcle la cebolla, migas de pan, ½ taza de catsup, huevos, salsa inglesa, 1 cucharadita de sal y ½ cucharadita de pimienta. Agregue las carnes y mezcle con sus manos solamente hasta integrar. Pase la mezcla a la charola para asar preparada y dele forma de caña gruesa de aproximadamente 23 cm (9 in) de largo.

Hornee el albondigón durante 45 minutos. Unte la superficie del albondigón con las 3 cucharadas restantes de catsup y hornee 15 minutos más, hasta que un termómetro de lectura instantánea insertado en el centro de la carne registre 80°C (165°F). Retire del horno y deje reposar durante 5 minutos más en la charola. Usando una espátula ancha y larga pase el albondigón a un platón y cubra con papel aluminio para mantenerlo caliente.

Vierta la grasa de la charola para asar en un tazón. Mida 2 cucharadas de la grasa y añada la mantequilla necesaria para completarla; vuelva a poner la grasa en la charola. Caliente la charola para asar sobre fuego medio hasta que la mantequilla se derrita. Integre la harina batiendo con un batidor globo y deje burbujear durante un minuto. Gradualmente integre el caldo, batiendo, y lleve a ebullición. Reduzca el fuego a medio-bajo, hierva lentamente alrededor de 5 minutos, batiendo frecuentemente, hasta que el gravy se haya espesado ligeramente. Sazone con sal y pimienta. Cuele a través de un colador colocado sobre una salsera precalentada. Rebane el albondigón y sirva caliente acompañando a la mesa con la salsera.

 DELE UN GIRO Haga doble cantidad de albondigón para que le sobre para preparar sándwiches. Sirva el albondigón rebanado sobre rebanadas gruesas de pan o bollos y acompañe con catsup o mostaza a la antigua y rebanadas de jitomate.

Este clásico platillo francés es simplemente uno de los guisos más deliciosos que existen: piezas de pollo cociéndose lentamente en una generosa salsa de vino tinto con champiñones y cebollitas de cambray hasta que el pollo casi se separe del hueso. No escatime con el vino. Use un vino tinto de buena calidad, de cuerpo ligero, como el Pinot Noir o el Beaujolais, que también disfrutará al beberlo.

COQ AU VIN

Pollo entero,
1 (de aproximadamente 2 kg/4 lb)

Panceta o tocino, 175 g (¼ lb), partida en cubos

Aceite de canola, 1 cucharadita

Sal kosher y pimienta recién molida

Mantequilla sin sal, 4 cucharadas

Cebollas cipollini o cebollas blancas para hervir, 12

Champiñones, 250 g (½ lb), en cuarterones

Chalotes, ⅓ taza, finamente picados

Ajo, 2 dientes, finamente picados

Coñac, 2 cucharadas

Harina de trigo simple, ⅓ taza

Vino tinto ligero, 2 tazas

Caldo de pollo (página 244) o consomé, 1 taza

Pasta de tomate, 2 cucharaditas

Tomillo fresco, 1½ cucharadita, finamente picado

Hoja de laurel, 1

Tallarines anchos de huevo, 500 g (1 lb)

Perejil liso fresco picado para adornar

RINDE 6 PORCIONES

Precaliente el horno a 150°C (300°F). Separe el pollo en 2 patas, 2 muslos, 2 alas y 2 mitades de pechuga, reservando las menudencias para otro uso. En una olla grande de hierro fundido con tapa sobre fuego medio, dore el tocino en el aceite cerca de 8 minutos, moviendo, hasta dorar. Pase a toallas de papel para escurrir dejando la grasa en la olla. Suba el fuego a medio-alto. Sazone las piezas de pollo con sal y pimienta. Trabajando en tandas para no amontonar, añada las piezas de pollo a la olla y cocine cerca de 5 minutos por tanda, moviendo ocasionalmente, hasta dorar por todos lados. Pase a un plato.

Agregue una cucharada de la mantequilla a la olla y derrita sobre fuego medio. Añada las cebollas y cocine cerca de 3 minutos, moviendo ocasionalmente, hasta que se doren por todos lados. Pase al plato con el pollo. Agregue 2 cucharadas de la mantequilla a la olla y derrita. Añada los champiñones y cocine de 5 a 6 minutos, moviendo ocasionalmente, hasta que estén ligeramente dorados. Integre los chalotes y el ajo; cocine cerca de 2 minutos moviendo, hasta suavizar. Añada el coñac, cocine de 1 a 2 minutos, hasta que casi se evapore. Espolvoree la harina y mezcle hasta integrar por completo. Lentamente integre el vino, caldo, pasta de tomate, tomillo y hoja de laurel; lleve a ebullición lenta. Ponga el pollo en la olla, poniendo las patas y los muslos primero junto con las cebollas y el tocino. Tape y hornee de 40 a 45 minutos, hasta que el pollo no tenga ningún trozo color de rosa cuando se pique en el hueso.

Mientras el pollo se está cocinando, ponga a hervir una olla grande con agua salada sobre fuego alto. Agregue los tallarines y mueva ocasionalmente, hasta que el agua vuelva a hervir. Cocine siguiendo las instrucciones del paquete, hasta que estén al dente. Escurra los tallarines y regrese a la olla. Agregue la cucharada restante de mantequilla y mezcle para cubrir.

Deseche la hoja de laurel del pollo. Sazone con sal y pimienta. Divida los tallarines entre platos individuales, cubra cada porción con el pollo y la salsa. Espolvoree con perejil y sirva de inmediato.

 DELE UN GIRO En Alsacia, se hace un platillo similar a éste usando vino blanco en lugar del tinto. Sustituya el vino tinto por un Riesling semi-seco o un Pinot Blanc y omita la pasta de tomate y el coñac.

Muchos cocineros hablan de sus estofados favoritos de carne o pollo, pero ninguno de las delicias del puerco cocinado de la misma manera. Esta receta va a cambiarlo. Aquí, la carne de puerco se estofa con una ácida sauerkraut y manzanas agridulces para preparar una deliciosa comida para el domingo. Acompáñelo con papas pequeñas salteadas en mantequilla y perejil.

ESTOFADO DE PUERCO CON CHUCRUT Y MANZANAS

Sal kosher y pimienta recién molida

Tomillo seco, 2 cucharaditas

Salvia seca, 1 cucharadita

Costillar de lomo de puerco, 1 (de aproximadamente 1 ¾ kg/3 ½ lb) o 6 costillas

Aceite de canola, 2 cucharadas

Manzanas Granny Smith, 2

Cebolla amarilla o blanca, 1, picada

Chucrut refrigerada (sauerkraut o col agria), 1 kg (2 lb), perfectamente escurrida

Sidra, ½ taza

Azúcar mascabado, 1 cucharada compacta

Hojas de laurel, 2

Mostaza de grano entero o a la antigua para acompañar

RINDE 6 PORCIONES

Ponga una rejilla en el tercio inferior del horno y precaliéntelo a 160°C (325°F). Para preparar el puerco mezcle una cucharadita de sal, ½ cucharadita de pimienta, 1 cucharadita del tomillo y la salvia. Espolvoree la mezcla uniformemente sobre el puerco y úntela. En una olla grande de hierro fundido con tapa sobre fuego medio-alto caliente una cucharada del aceite. Agregue el puerco y cocine cerca de 6 minutos, volteando ocasionalmente, hasta que esté dorado por todos lados. Retire del fuego y pase el puerco a un plato dejando la grasa en la olla.

Para preparar el sauerkraut y las manzanas, retire la piel de las manzanas, parta a la mitad, descorazone y corte en rebanadas. Agregue la cucharada restante de aceite a la olla, caliente sobre fuego medio. Añada las manzanas y la cebolla; cocine cerca de 5 minutos, hasta que se suavicen las cebollas. Agregue el sauerkraut, sidra, azúcar, la cucharadita restante de tomillo, ¼ cucharadita de pimienta y las hojas de laurel; mezcle hasta integrar.

Vuelva a poner el puerco en la olla integrando con la mezcla del sauerkraut. Tape y ase al horno alrededor de una hora, hasta que un termómetro de lectura instantánea insertado en el centro de la carne, sin tocar el hueso, registre 70°C (145°F).

Pase el puerco a una tabla para picar. Deseche las hojas de laurel. Cubra el chucrut para mantenerlo caliente. Deje reposar el puerco durante 10 minutos y córtelo en chuletas. Sazone el sauerkraut con más pimienta y pase a un platón profundo para servir. Cubra con las chuletas y sirva de inmediato a la mesa acompañando con la mostaza.

 DELE UN GIRO Usted puede servir la mezcla de chucrut con salchichas en lugar de carne de puerco. Aumente la sidra a una taza y hornee el sauerkraut durante una hora. Usando un tenedor pique sus salchichas ahumadas preferidas como las kielbasa, knackwurst o bratwurst y dore ligeramente en una sartén. Envuelva las salchichas en el sauerkraut y hornee durante 30 minutos más.

Las recetas de pasta son muy populares en la lista de los alimentos para satisfacer el alma, y esta receta clásica del viejo mundo está entre las más populares del clan: almejas frescas de mar en una salsa de vino al ajillo sin ningún jitomate a la vista. Sirva una buena cantidad de pan crujiente con este platillo para remojar con cada gota de esta exquisita salsa.

LINGUINI CON ALMEJAS

Almejas littleneck,
3 docenas
(aproximadamente 1 ½
kg/3 lb)

Sal kosher

Linguini, 500 g (1 lb)

Aceite de oliva extra
virgen,
¼ taza

Ajo, 3 dientes, finamente
picados

Hojuelas de chile rojo,
¼ cucharadita o al gusto

Vino blanco seco, ½ taza

Mantequilla sin sal,
2 cucharadas

Perejil liso fresco,
3 cucharadas, finamente
picado

RINDE 4 PORCIONES

Talle las almejas debajo del chorro de agua fría. Ponga en un tazón grande, cubra con agua salada y deje reposar durante una hora. Escurra las almejas y enjuague perfectamente.

Mientras tanto, ponga a hervir agua salada en una olla grande sobre fuego alto. Agregue el linguini y mueva ocasionalmente hasta que el agua vuelva a hervir. Cocine siguiendo las instrucciones del paquete, hasta que esté al dente.

Mientras se cocina el linguini, en una olla grande sobre fuego medio caliente el aceite de oliva, ajo y hojuelas de chile alrededor de 3 minutos, hasta que el ajo se suavice y aromatice pero no se dore. Agregue las almejas y el vino; tape. Aumente el fuego a alto y cocine cerca de 4 minutos, moviendo la olla ocasionalmente, hasta que las almejas se hayan abierto. Retire del fuego y deseche las que no se hayan abierto. Agregue la mantequilla y gire la olla para que se integre la mantequilla con el líquido de cocimiento.

Escurra el linguini y vuelva a poner en la olla. Vierta las almejas y la salsa sobre el linguini y mezcle suavemente. Pase a un platón para servir o a platos individuales para pasta dividiendo las almejas uniformemente. Espolvoree con el perejil y sirva de inmediato.

 DELE UN GIRO Si no le gusta la idea de servir pasta sin jitomates, saltee 2 tazas de jitomates cereza o jitomates uva en una sartén con 2 cucharadas de aceite de oliva sobre fuego alto alrededor de 3 ó 4 minutos, hasta que estén calientes y se empiecen a desbaratar. Integre con las almejas y su salsa junto con la pasta.

Una salsa sencilla y brillante de jitomates machacados es la base perfecta para esta clásica pizza desbordante de queso mozzarella derretido y rellena con una suculenta salchicha de puerco y champiñones rebanados. Un secreto para obtener una gran pizza es usar una gran masa y la clave para una gran masa es que se esponje lentamente. Para obtener los mejores resultados, haga la masa por lo menos 9 ó 10 horas antes de hornearla.

PIZZA DE SALCHICHA ITALIANA Y CHAMPIÑONES ESTILO NUEVA YORK

Masa para pizza (página 247)

Jitomates machacados de lata, 1 taza

Aceite de oliva extra virgen, 2 cucharadas

Orégano seco, 1 cucharadita

Hongos cremini o champiñones blancos, 250 g (½ lb), rebanados

Sal kosher y pimienta recién molida

Salchichas de puerco italianas dulces o picantes, 250 g (½ lb), sin la envoltura

Harina de trigo simple o harina para pan y cornmeal para espolvorear

Queso mozzarella fresco, 500 g (1 lb), partido en rebanadas delgadas

Queso parmesano, 4 cucharadas, recién rallado

RINDE PARA 2 PIZZAS DE 30 CM (12 IN)

La noche anterior de servir la pizza prepare la masa para pizza y refrigere. Retire la masa del refrigerador 1 ó 2 horas antes de formar las pizzas. Coloque una rejilla en el tercio inferior del horno. Ponga una piedra grande para pizza en la rejilla y precaliente el horno a 225°C (450°F), permitiendo que el horno se precaliente por lo menos durante 30 minutos.

Para hacer la salsa de pizza, mezcle en un tazón los jitomates con una cucharada de aceite y el orégano. Reserve.

Para preparar los ingredientes, en una sartén grande sobre fuego medio-alto caliente la cucharada de aceite restante. Agregue los champiñones y cocine cerca de 8 minutos, moviendo, hasta que suelten su jugo y se doren. Pase a un tazón y sazone con sal y pimienta. Agregue las salchichas a la sartén y cocine sobre fuego medio-alto cerca de 10 minutos, moviendo y desbaratándolas con una cuchara de madera, hasta que ya no estén de color rosa. Pase al tazón con los champiñones. Reserve.

Divida la masa a la mitad y haga una bola apretada con cada mitad. Ponga una bola sobre una superficie de trabajo ligeramente enharinada. Regrese la otra bola de masa a su tazón y tape. Extienda, golpee y estire la masa para hacer un círculo de 30 cm (12 in) de diámetro. Espolvoree generosamente con cornmeal una paleta grande de madera para pizza. Pase la masa a la paleta y vuelva a redondear el círculo si fuera necesario. Unte con la mitad de la salsa, dejando un borde de 2 cm (¾ in) sin salsa. Cubra con la mitad del queso mozzarella y con la mitad de la mezcla de los champiñones.

Resbale la pizza sobre la piedra caliente en el horno. Hornee alrededor de 12 minutos, hasta que la corteza esté dorada. Mientras la primera pizza se está horneando repita la operación con la masa, salsa de tomate, mozzarella y la mezcla de champiñones restantes, para que la segunda pizza esté lista para hornear cuando salga la primera. Usando una espátula ancha o una charola para hornear sin borde, retire la pizza ya lista del horno y pase a una tabla para picar. Espolvoree con la mitad del queso parmesano. Resbale la segunda pizza a la piedra caliente y hornee alrededor de 12 minutos. Corte y sirva la primera pizza. Cuando la segunda pizza esté lista, cubra con el queso parmesano restante, corte y sirva.

Estas deliciosas enchiladas cubiertas con queso están rellenas de pollo suave y bañadas con una sabrosa y picante salsa de tomate verde. Los tomates verdes, de la misma familia de las grosellas y no de los jitomates, dan a la salsa su color y acidez. El chile jalapeño le brinda solamente la cantidad adecuada de picor y el queso Monterey Jack le da una buena dosis de suntuosidad.

ENCHILADAS VERDES DE POLLO

Mitades de pechuga de pollo, con hueso y piel, 2 (aproximadamente 750 g/1 ½ lb) en total

Cebollas blancas, 2 tazas, picadas

Ajo, 6 dientes, machacados

Sal kosher

Granos de pimienta negra, ½ cucharadita

Cilantro fresco, 6 ramas, más ⅓ ctaza picado grueso

Tomates verdes, 1 kg (2 lb), sin cáscara

Chile jalapeño, 1, sin semillas, desvenado y picado

Aceite de oliva, ½ taza más 2 cucharadas, más el necesario

Queso Monterey Jack o manchego, 2 tazas, rallado

Tortillas de maíz, 12

Cebollas blancas picadas, crema ácida, cilantro picado y queso _cotija_ desmenuzado para acompañar

RINDE 6 PORCIONES

Ponga las mitades de las pechugas de pollo con el lado de la piel hacia abajo en una olla. Agregue ½ taza de la cebolla, 2 dientes de ajo, 1 cucharadita de sal y agua hasta cubrir. Deje hervir sobre fuego alto, quitando la espuma que se forme. Agregue los granos de pimienta y las ramas de cilantro, reduzca el fuego a medio-bajo, tape parcialmente y hierva lentamente cerca de 25 minutos, hasta que el pollo esté completamente opaco. Pase el pollo a una tabla para picar pero mantenga el caldo hirviendo lentamente. Cuando el pollo se haya enfriado lo suficiente como para poder tocarlo, retire la piel y los huesos y vuelva a ponerlos en el caldo caliente. Corte la carne del pollo en cubos y reserve. Continúe hirviendo el caldo lentamente durante 30 minutos más. Pruebe y rectifique la sazón con sal, cuele a través de un colador de malla fina colocado sobre un tazón limpio. Deje reposar durante 5 minutos retirando la grasa de la superficie con ayuda de una espumadera.

Ponga a hervir agua salada en una olla grande sobre fuego alto. Agregue los tomates verdes, reduzca el fuego a medio-bajo y cocine lentamente (sin hervir) alrededor de 10 minutos, hasta que estén suaves. Pase los tomates a un tazón teniendo cuidado de que no se revienten. Trabajando en tandas, en una licuadora mezcle los tomates con la 1 ½ taza de cebollas restantes, el cilantro picado, los 4 dientes de ajo restantes y el chile. Licue hasta obtener una mezcla tersa. En una olla grande sobre fuego medio-alto caliente 2 cucharadas de aceite. Agregue el puré de tomate (va a salpicar, así es que tenga cuidado) y una taza del caldo reservado. Lleve a ebullición. (Reserve el caldo restante para otro uso). Hierva cerca de 10 minutos, moviendo frecuentemente, hasta que la salsa se haya reducido ligeramente. Retire del fuego.

Precaliente el horno a 175°C (350°F). Engrase ligeramente un refractario de 23 x 32 cm (9 x 13 in). Para armar las enchiladas, vierta 1/3 taza de la salsa en el refractario. Mezcle 1 ½ taza del queso con el pollo reservado. Vierta 2 tazas de la salsa en un molde para pay y coloque cerca de la estufa. En una sartén sobre fuego medio, caliente ½ taza de aceite de oliva. Usando unas pinzas sumerja una tortilla en el aceite durante unos segundos hasta que se suavice y luego ponga en la salsa. Pase la tortilla a una superficie de trabajo, agregue unas cuantas cucharadas del relleno en el centro de la tortilla y enrolle. Coloque en el refractario, poniendo el lado abierto hacia abajo. Repita la operación con las tortillas y el relleno restantes. Cubra con la salsa restante y espolvoree con el queso restante. Hornee de 30 a 35 minutos, hasta que el queso se haya derretido y la salsa burbujee. Sirva caliente acompañando con cebollas, crema ácida, cilantro y queso cotija.

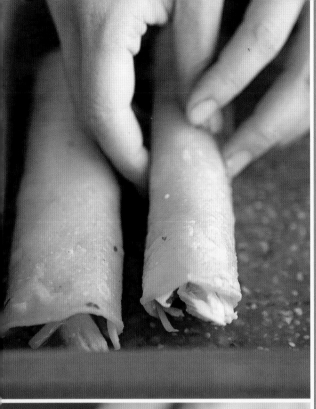

La comida Tex-Mex no es auténticamente mexicana ni puramente texana, pero es una de las "cocinas" más sabrosas del mundo.

El verano anterior a que empezara la universidad me gasté todo el dinero de mi graduación de preparatoria para ir a la Universidad de Guadalajara. Ya para ese entonces tenía un gran interés en la comida, y pensamientos de flautas y tostadas bailaban por mi cabeza en el viaje hacia el sur. Como crecí en California pensé que conocía la auténtica comida mexicana. Sin embargo, pronto descubrí que la comida con la que yo había crecido y que me encantaba era de hecho Tex-Mex, un híbrido delicioso. Mi primera comida con la familia García, la familia que me estaba hospedando, fue muy reveladora. La señora García preparó lo auténtico: tortillas de maíz hechas a mano, guacamole hecho en molcajete y sabrosas enchiladas de pollo. Aunque no aprendí mucho en la escuela ese verano, sí aprendí a cocinar auténtica comida mexicana.

¿Qué es lo que hace que el "chili" sea texano. La mayoría de los expertos del chili del estado de la Estrella Solitaria omiten los frijoles y los jitomates. Para ellos el chili es puramente carne, solamente de res y las especias adecuadas. Los aficionados del estado de la Estrella Solitaria (Texas) afirman que los ingredientes que lo cubren como son la crema ácida, el queso y las cebollas, convierten su tazón de chili en una barra de ensaladas. Pero, si lo desea, usted puede poner de todo.

CHILI TEXANO CON CARNE

Semillas de comino enteras,
2 cucharaditas

Polvo puro de chile ancho,
¼ taza

Páprika ahumada española,
1 cucharada

Orégano seco, 2
cucharaditas

Espaldilla de res sin hueso,
2 kg (4 lb)

Sal kosher y pimienta recién
molida

Aceite de oliva, 3
cucharadas

Cebolla amarilla o blanca,
1 grande, picada

Chile jalapeño, 1, sin
semillas, desvenado y picado

Pimiento rojo, 1 grande, sin
semillas y picado

Ajo, 4 dientes, picados

Cerveza lager, 1½ taza

Caldo de res (página 244),
consomé o agua, 1 taza

Cornmeal amarillo o
polenta,
2 cucharadas

Queso cheddar rallado,
cebollas moradas picadas,
crema ácida y chiles
jalapeños finamente
picados para acompañar

RINDE 8 PORCIONES

Caliente una sartén sobre fuego medio. Agregue las semillas de comino y caliente alrededor de un minuto, moviendo ocasionalmente, hasta tostar (puede ver una brizna de humo). Pase a un mortero y muela finamente con la mano del mortero (puede usar un molino para especias). Pase a un tazón y añada el polvo de chile ancho, páprika y orégano. Mezcle hasta integrar y reserve.

Corte la carne en cubos de 1 ¼ cm (½ in). Sazone con sal y pimienta. En una olla grande de hierro fundido con tapa sobre fuego medio-alto caliente 2 cucharadas del aceite. Trabajando en tandas para no amontonar, agregue los cubos de carne y cocine cerca de 5 minutos por tanda, moviendo ocasionalmente, hasta dorar. Pase a un plato.

Agregue la cucharada restante de aceite a la olla. Añada la cebolla, jalapeño, pimiento y ajo y reduzca el fuego a medio. Tape y cocine cerca de 5 minutos, moviendo ocasionalmente, hasta que la cebolla se suavice. Destape, agregue la mezcla de especias y mezcle durante 30 segundos. Integre la cerveza y el caldo. Vuelva a poner la carne en la olla, tape y reduzca el fuego a bajo. Hierva lentamente entre 1 ½ y 2 horas, hasta que la carne se pueda partir con el tenedor.

Retire el chili del fuego y deje reposar durante 5 minutos. Retire la grasa que esté en la superficie. Vuelva a poner la olla sobre fuego medio y lleve a ebullición. Pase alrededor de ½ taza del líquido de cocimiento a un tazón pequeño, agregue el cornmeal y bata hasta incorporar por completo. Integre al chili, cocine cerca de un minuto, hasta que espese ligeramente. Sazone con sal y pimienta. Usando un cucharón pase el chili a tazones precalentados y sirva caliente, acompañando con tazones de queso cheddar, cebollas, crema ácida y jalapeños para sazonar el chili.

 DELE UN GIRO Con el riesgo de hacer enojar a algunos texanos, agregue una taza de frijoles bayos o pintos cocidos al chili y caliente completamente justo antes de servir. También puede agregar una taza de jitomates picados de lata, pero, por favor no le diga a los texanos. Los chiles anchos son bastante suaves, así que si quiere un chili más picante, agregue un poco de pimienta de cayena. Este chili es excelente cuando se acompaña con pan de elote (página 186) o tortillas calientes para capturar toda la salsa de color ladrillo.

Un platón grande de este pollo crujiente, suave y dorado sería un éxito en casi cualquier reunión o día de campo. Sumergir las piezas de pollo en salmuera de buttermilk durante varias horas le proporciona mucho sabor y le ayuda a mantener su carne jugosa al freírla. El ácido en el buttermilk también ayuda a suavizar el pollo.

POLLO FRITO EN BUTTERMILK

Buttermilk o yogurt, 4 tazas

Sal fina de mar y pimienta negra recién molida

Orégano, tomillo, romero y salvia secos, 2 cucharaditas *de cada uno*

Ajo granulado, 1 cucharadita

Pimienta de cayena, ½ cucharadita

Pollo entero, 1 (de aproximadamente 1 ½ kg/3 ½ lb)

Aceite de canola para fritura profunda

Harina de trigo simple, 1⅓ taza

Polvo para hornear, 1 cucharadita

RINDE 4 PORCIONES

Para hacer la salmuera de buttermilk, mezcle en un tazón grande el buttermilk con 1/3 taza de sal. En un mortero muela el orégano, tomillo, romero y salvia con la mano del mortero (o use un molino para especias), hasta moler finamente. Integre las hierbas molidas, ajo y pimienta de cayena con la mezcla de buttermilk, batiendo. Corte el pollo en 2 muslos, 2 piernas, 2 alas y 2 medias pechugas, reservando las menudencias para otro uso. Corte cada media pechuga transversalmente a la mitad para tener 4 porciones de pechuga y un total de 10 piezas de pollo. Agregue a la salmuera de buttermilk, asegurándose que el pollo quede sumergido. (Si no queda cubierto, pase todo a un tazón más pequeño). Tape y refrigere por lo menos durante 4 horas o hasta por 6 horas.

Vierta aceite en una olla gruesa hasta obtener por lo menos una profundidad de 7 ½ cm (3 in), caliente sobre fuego alto hasta que registre 175°C (350°F) en un termómetro para fritura profunda. Ponga una rejilla grande de metal sobre una charola para hornear con borde y coloque cerca de la estufa. Tenga a la mano otra charola para hornear con borde. Mientras se calienta el aceite bata en un tazón la harina, polvo de hornear y ½ cucharadita de pimienta negra. Retire la mitad del pollo de la salmuera de buttermilk, permitiendo que el exceso de la salmuera escurra en el tazón. Ponga el pollo en la mezcla de harina y mueva para cubrir uniformemente; pase a la segunda charola para hornear.

Cuando el aceite esté listo, trabajando en tandas para evitar que se amontonen, resbale cuidadosamente las piezas de pollo en el aceite caliente. La temperatura del aceite bajará, pero ajuste el fuego para mantener el aceite burbujeando uniformemente a 165°C (325°F). Fría las piezas de pollo alrededor de 12 minutos, volteándolas ocasionalmente con unas pinzas, hasta que estén doradas y no muestren rasgos color de rosa cuando se piquen en la parte más gruesa. Usando una espumadera de metal pase el pollo a la rejilla para escurrir. Repita la operación con el pollo restante. Sirva caliente.

 DELE UN GIRO El pollo Maryland se sirve con gravy cremoso: Después de freír el pollo, caliente en una olla sobre fuego medio 2 cucharadas del aceite vegetal. Integre 2 cucharadas de harina, batiendo, y hierva a fuego lento durante un minuto. Incorpore, batiendo, 2 tazas de media crema caliente. Lleve a ebullición y hierva a fuego lento cerca de 5 minutos, hasta espesar. Sazone con sal y pimienta. Sirva el gravy sobre el pollo.

El ziti horneado es uno de los mejores platillos hechos en refractario y es justamente el platillo indicado para llevar a un amigo que necesita un poco de ánimo. Esta versión es más grande que la mayoría, con suficiente salchicha italiana sazonada, berenjena asada, salsa ácida de tomate y queso ricotta para satisfacer aún al más grande de los apetitos.

ZITI AL HORNO CON SALCHICHAS

Berenjenas, 2 pequeñas (de aproximadamente 350 g/¾ lb cada una)

Aceite de oliva, 4 cucharadas

Salchichas de puerco italianas dulces o picantes, 500 g (1 lb), sin la envoltura

Cebolla amarilla o blanca, 1, picada

Ajo, 2 dientes, finamente picados

Vino tinto fuerte, ½ taza

Jitomate guaje machacado, 1 lata (800 g/28 oz)

Orégano seco, 2 cucharaditas

Hojuelas de chile rojo, ½ cucharadita

Aceitunas Kalamata, ½ taza, sin hueso y toscamente picadas

Sal kosher

Ziti o alguna otra pasta tubular, 500 g (1 lb)

Queso ricotta, 2 tazas

Queso parmesano, ½ taza, recién rallado

RINDE 6 PORCIONES

Precaliente el horno a 200°C (400°F). Engrase ligeramente con aceite un refractario con capacidad de 3 litros (3 qt) o 6 refractarios individuales. Corte las berenjenas en cubos del tamaño de un bocado. Extienda los cubos sobre una charola grande para hornear con borde. Rocíe con 3 cucharadas de aceite y mezcle para cubrir. Ase en el horno cerca de 30 minutos, moviendo ocasionalmente, hasta que estén suaves y ligeramente doradas.

Mientras tanto, en una olla grande y gruesa sobre fuego medio-alto caliente la cucharada restante de aceite. Agregue las salchichas y cocine cerca de 10 minutos, moviendo ocasionalmente y desbaratándolas con una cuchara de madera, hasta que ya no estén de color rosa. Usando una cuchara ranurada pase a un platón. Deje 2 cucharadas de la grasa en la olla y deseche el resto.

Agregue la cebolla a la olla y cocine sobre fuego medio cerca de 5 minutos, moviendo, hasta suavizar. Integre el ajo y cocine durante un minuto, hasta que aromatice. Añada el vino y mezcle para despegar los trocitos dorado del fondo de la olla y lleve a ebullición. Integre los jitomates, orégano y las hojuelas de chile rojo; lleve a ebullición. Vuelva a poner la salchicha en la olla e integre la berenjena. Cuando suelte el hervor reduzca el fuego a medio-bajo y hierva cerca de 20 minutos, hasta espesar. Integre las aceitunas y retire del fuego.

Mientras tanto, ponga a hervir agua salada en una olla grande sobre fuego alto. Agregue el ziti y mezcle ocasionalmente, hasta que el agua vuelva a hervir. Cocine siguiendo las instrucciones del paquete, hasta que estén casi al dente. (La pasta se volverá a cocer en el horno, por lo que no debe cocinar más tiempo). Escurra perfectamente. Agregue el ziti a la salsa junto con el queso ricotta y mezcle hasta integrar. Sazone con sal, pruebe y rectifique la sazón con las hojuelas de chile rojo. Extienda la mezcla de pasta en el(los) refractario(s) preparado(s) y espolvoree uniformemente con el queso parmesano. Hornee cerca de 20 minutos, hasta que la salsa burbujee y el queso parmesano se dore. Deje reposar durante 5 minutos y sirva.

 DELE UN GIRO Para una versión vegetariana de este mismo platillo, sustituya la salchicha por 675 g (1 ¼ lb) de hongos cremini partidos en cuarterones y el orégano por romero fresco finamente picado. Saltee los hongos en el aceite de oliva (quizás necesite más aceite) sobre fuego medio-alto cerca de 8 minutos, hasta suavizar.

En los estados de Carolina, en los Estados Unidos, el "verdadero" barbacue se cocina lánguidamente en un asador con madera de nogal, pero la mayoría de las personas la cocinan como en esta receta: en el horno. Se tarda mucho, pero vale la pena: una montaña de carne tierna desbaratándose, ideal para una reunión familiar grande o para cuando quiere que le sobre para aprovechar en otras comidas.

SÁNDWICH DE PUERCO DESHEBRADO

Espaldilla de puerco con hueso,
1 (de aproximadamente 3 ¾ kg/7 ½ lb)

Páprika dulce, de preferencia húngara o española,
2 cucharaditas

Tomillo seco, ¾ cucharadita

Orégano seco, ¾ cucharadita

Sal kosher y pimienta negra recién molida

Pimienta de cayena, ⅛ cucharadita

Vinagre de sidra, 2½ tazas

Cebolla amarilla o blanca, 1, picada

Ajo, 5 dientes, finamente picados

Azúcar mascabado, ¼ taza compacta

Catsup (página 246 o comprada), ¼ taza

Hojuelas de chile rojo, 1 cucharadita

Aceite de canola, ⅓ taza

Col verde, 1 cabeza pequeña, rallada

Bollos suaves para sándwiches, 10, abiertos a la mitad

RINDE 10 SÁNDWICHES

Ponga una rejilla del horno en el tercio inferior del horno y precaliéntelo a 165°C (325°F). Corte la piel de la espaldilla de puerco dejando una capa delgada de grasa. Usando un cuchillo filoso haga unos cortes en la grasa en forma cruzada creando rombos de 2 ½ cm (1 in). Mezcle la páprika, tomillo, orégano, 2 cucharaditas de sal, ½ cucharadita de pimienta negra y la pimienta de cayena. Espolvoree la mezcla uniformemente sobre la carne de puerco y úntela. Ponga la carne en una olla grande de hierro fundido con tapa y agregue ½ taza del vinagre, la cebolla y 2/3 partes del ajo. Tape y hornee de 5 a 6 horas, volteando la carne aproximadamente cada hora, hasta que esté tan suave que se pueda partir con un tenedor y que un termómetro de lectura instantánea insertado en la parte más gruesa, sin tocar el hueso, registre 85°C (190°F).

Mientras tanto, para preparar la salsa barbecue mezcle en un tazón las 2 tazas restantes de vinagre, el ajo restante, el azúcar, catsup y las hojuelas de chile rojo. La salsa estará bastante líquida. Reserve ¼ taza de la salsa, pase la salsa restante a un recipiente cubierto y reserve a temperatura ambiente. Para preparar la ensalada de col, bata en un tazón ¼ taza de salsa y el aceite. Agregue la col y mezcle para cubrir uniformemente. Sazone con sal y pimienta. Tape y refrigere por lo menos durante 2 horas para permitir que la col se suavice y los sabores se mezclen.

Cuando la carne de puerco esté lista pase a una tabla para picar y tape holgadamente con papel aluminio para mantenerla caliente. Deje reposar por lo menos durante 20 minutos. Mientras tanto, quite la grasa del líquido de cocimiento y deje hervir sobre fuego alto hasta que se reduzca a ¾ taza. Usando 2 tenedores separe trozos de la carne. (Una vez que la carne se haya separado en trozos grandes puede ser más fácil usar un cuchillo para deshebrarla). Pase a un tazón para servir y humedezca con el líquido de cocción reducido. Para servir, ponga la carne deshebrada y una cucharada de la ensalada de col en la parte inferior de cada bollo y cubra con la otra mitad. Sirva de inmediato acompañando a la mesa con la salsa.

 DELE UN GIRO Si usted no tiene una olla grande de hierro fundido con tapa, cocine el puerco en una charola para asar herméticamente tapada con papel aluminio. Para un verdadero agasajo, agregue una capa de carne de puerco deshebrado a su sándwich favorito de queso a la parrilla:

Nunca subestime la apariencia de la comida frita. Cuando el poco atractivo calamar se empaniza y fríe queda dorado y crujiente y se convierte en uno de los más atractivos platillos de mariscos, especialmente cuando se acompaña con salsa marinara sazonada con hojuelas de chile rojo. Asegúrese de que el aceite vuelva a registrar 175°C después de cada tanda para garantizar calamares crujientes y suaves.

CALAMARES FRITOS CON SALSA MARINARA SAZONADA

Aceite de oliva, 2
cucharadas

Ajo, 3 dientes, finamente
picados

Jitomates machacados de
lata, 1½ taza

Orégano seco,
3 cucharaditas

Hojuelas de chile rojo,
¼ cucharadita o al gusto

Aceite de canola para
fritura profunda

Harina de trigo simple, ½
taza

Cornmeal amarillo, de
preferencia molido en
molino de piedra o polenta
½ taza

Sal fina de mar, 1
cucharadita

Pimienta de cayena,
¼ cucharadita

Calamares,
500 g (1 lb), limpios

Perejil liso fresco picado
para adornar

Rebanadas de limón
amarillo para acompañar

RINDE DE 4 A 6
PORCIONES

Para hacer una marinara picante, en una olla caliente el aceite de oliva y el ajo sobre fuego medio-bajo cerca de 3 minutos, hasta que el ajo se suavice y aromatice pero no se dore. Integre los jitomates, una cucharadita del orégano y las hojuelas de chile rojo, aumente el fuego a medio y hierva lentamente. Cuando suelte el hervor baje el fuego a medio-bajo y hierva a fuego lento cerca de 10 minutos, sin tapar, hasta que espese ligeramente. Retire del fuego y mantenga caliente.

Mientras tanto, vierta aceite de canola en una olla grande y gruesa hasta obtener una profundidad de 7 ½ cm (3 in). Caliente sobre fuego alto hasta que registre 175°C (350°F) en un termómetro para fritura profunda. Precaliente el horno a 100°C (200°F). Ponga una rejilla grande de metal sobre una charola para hornear con borde y coloque junto a la estufa. En un tazón bata la harina con el cornmeal, las 2 cucharaditas restantes de orégano, la sal y la pimienta de cayena. Corte el cuerpo de los calamares transversalmente en aros de 6 mm (¼ in); deje los tentáculos enteros. Mezcle una tercera parte de los aros y tentáculos de calamar en la mezcla de harina para cubrir uniformemente, sacudiendo el exceso.

En 3 tandas, ponga cuidadosamente los calamares rebozados en el aceite caliente y fría profundamente cerca de 2 minutos, hasta que estén dorados. Usando una espumadera de metal pase a la rejilla sobre la charola y mantenga calientes en el horno mientras reboza y fríe los calamares restantes.

Usando una cuchara pase la marinara a tazones individuales para remojar los calamares. Ponga los calamares fritos en un platón precalentado y espolvoree con el perejil. Sirva de inmediato acompañando a la mesa con la salsa marinara y las rebanadas de limón.

 DELE UN GIRO Los camarones sin piel también quedan dorados y crujientes al freírlos con este método. Primero sumérjalos en harina de trigo simple y después en huevos batidos antes de cubrirlos con la mezcla de harina y cornmeal.

Berenjena suave bajo un manto de salsa de tomate con ajo y queso derretido: ¿A quién no le gusta la berenjena a la parmesana? Aún a los melindrosos para comer que piensan que no les gusta la berenjena, les gusta este platillo. En esta versión simplificada la berenjena empanizada se "fríe al horno" en lugar de en la sartén, lo cual significa menos aceite y menos trabajo, pero no menos sabor.

BERENJENA A LA PARMESANA

Berenjenas, 2 pequeñas (de aproximadamente 350 g/¾ lb cada una)

Sal kosher

Aceite de oliva extra virgen, ¼ taza

Huevos grandes, 3

Leche entera, 2 cucharadas

Harina de trigo simple, 1 taza

Orégano seco, 1 cucharadita

Pimienta recién molida, ½ cucharadita

Migas finas de pan seco, 2 tazas

Queso parmesano, ¾ taza, recién rallado

Salsa marinara (página 245), 3 tazas

Queso mozzarella fresco, 500 g (1 lb), rebanado

RINDE DE 4 A 6 PORCIONES

Corte las berenjenas transversalmente en rebanadas delgadas en diagonal. Ponga una rejilla de metal grande en una charola para hornear con borde. Espolvoree ambos lados de cada rebanada de berenjena con sal. Ponga las rebanadas en la rejilla y deje reposar durante 30 minutos. Seque las rebanadas con toallas de papel para absorber la humedad y retirar el exceso de sal.

Precaliente el horno a 210°C (425°F). Rocíe con aceite una charola grande para hornear con borde. En un tazón poco profundo bata los huevos y la leche. En un segundo tazón poco profundo mezcle la harina, orégano y pimienta. En un tercer tazón poco profundo mezcle las migas de pan con ¼ taza de queso parmesano. Trabajando con una rebanada de berenjena a la vez, cúbrala con la mezcla de la harina y sáquela sacudiendo el exceso, sumerja en la mezcla de huevo hasta que se cubra uniformemente y permitiendo que escurra el exceso. Por último, pásela por la mezcla de migas de pan golpeándola suavemente para ayudar a que se adhieran. Ponga en la charola preparada. Hornee durante 15 minutos. Voltee las rebanadas de berenjena y continúe horneando durante 15 minutos más, hasta que estén doradas. Deje enfriar de 5 a 10 minutos, hasta que se puedan tocar. Deje el horno encendido.

Engrase ligeramente con aceite un refractario de 23 x 32 cm (9 x 13 in). Extienda una taza de la salsa marinara en el fondo del refractario preparado. Ponga la mitad de las rebanadas de berenjena sobre la salsa acomodándolas unas sobre otras si fuera necesario para que quepan. Vierta una taza de la salsa uniformemente sobre las rebanadas. Cubra con la mitad del queso mozzarella y espolvoree con ¼ taza del queso parmesano. Repita la operación con las berenjenas, salsa marinara, quesos mozzarella y parmesano restantes.

Hornee alrededor de 30 minutos, hasta que el queso se derrita y la salsa burbujee. Deje reposar durante 10 minutos y sirva caliente.

 DELE UN GIRO   Para preparar un panini de berenjena a la parmesana barnice 2 rebanadas de *pain au levain* o algún otro pan rústico con aceite de oliva por ambos lados. En una rebanada de pan ponga rebanadas de mozzarella, rebanadas de berenjena horneada, salsa marinara y más rebanadas de mozzarella, siguiendo ese orden. Cubra con otra rebanada de pan. Usando una parrilla para panini tueste el sándwich hasta que el pan se dore y el queso se derrita.

En Italia, los "scampi" son crustáceos parecidos a los camarones, conocidos en otras partes como gambas de la Bahía de Dublín o langostinos. Los cocineros americanos usan el mismo término para describir a los camarones gigantes salteados en una salsa cremosa de vino blanco. Esta versión tiene más ajo y más salsa que las demás y es deliciosa servida sobre pasta, arroz o hasta sémola.

CAMARONES AL AJILLO

Camarones gigantes o extra grandes, 750 g (1 ½ lb)

Harina de trigo simple, ½ taza

Sal fina de mar y pimienta recién molida

Aceite de oliva, 2 cucharadas más el necesario

Mantequilla sin sal, 12 cucharadas

Ajo, 3 dientes, finamente picados

Vino blanco seco, ¼ taza

Ralladura fina de limón amarillo, de 1 limón

Jugo fresco de limón amarillo, 2 cucharadas

Perejil liso fresco, 2 cucharadas, finamente picado

Rebanadas de limón amarillo para servir

RINDE 4 PORCIONES

Retire la piel de los camarones y limpie dejando el segmento de la cola intacto. En un tazón poco profundo mezcle la harina con ½ cucharadita de sal y ¼ cucharadita de pimienta.

En una sartén grande para freír de material no reactivo sobre fuego medio-alto caliente el aceite. Mezcle la mitad de los camarones con la mezcla de harina para cubrir uniformemente sacudiendo el exceso. Ponga en el aceite caliente y cocine cerca de 3 minutos, moviendo ocasionalmente, hasta que estén totalmente opacos cuando se piquen con la punta de un cuchillo. Pase a un plato, cubra holgadamente con papel aluminio para mantener calientes. Repita la operación con los camarones restantes, añadiendo más aceite si fuera necesario.

Reduzca el fuego a medio-bajo. En la sartén caliente 2 cucharadas de la mantequilla con el ajo alrededor de 2 minutos, moviendo frecuentemente, hasta que el ajo se suavice y aromatice pero no se dore. Agregue el vino, la ralladura y el jugo del limón y hierva sobre fuego alto. Cocine cerca de un minuto, hasta que se reduzca a la mitad. Baje el fuego a muy bajo. Integre las 10 cucharadas restantes de la mantequilla, batiendo, una cucharada a la vez y dejando que cada una se suavice en una cremosa emulsión antes de añadir la siguiente.

Vuelva a poner los camarones en la salsa y mueva con cuidado para cubrir. Retire del fuego y sazone la salsa con sal y pimienta. Pase a un platón para servir precalentado y espolvoree con el perejil. Sirva de inmediato acompañando a la mesa con las rebanadas de limón.

 DELE UN GIRO El callo de hacha también sabe muy bien con esta salsa. El callo de hacha pequeño de la bahía se cocina aproximadamente en el mismo tiempo que los camarones. Si prefiere callo de hacha grande de mar, séllelo durante un minuto de cada lado en una sartén que se pueda meter al horno sobre fuego alto y luego hornee en la misma sartén en un horno precalentado a 200°C (400°F) cerca de 4 minutos, hasta que esté casi completamente opaco. Pase a un plato, cubra para mantenerlo caliente y continúe con la receta para preparar la salsa.

En esta maravillosa receta sureña, las chuletas de puerco literalmente se ahogan en verduras y caldo para luego hervir lentamente hasta que las verduras se hayan desbaratado, creando una salsa hecha a la medida para servir sobre arroz. Ésta es una versión deliberadamente suave, así es que si tiene antojo de algo picante, dele vida con una cucharadita o dos de condimento cajún.

CHULETAS DE PUERCO AHOGADAS

Chuletas de puerco con hueso cortadas del centro, 4, cada una de aproximadamente 2 ½ cm (1 in) de grueso

Sal kosher y pimienta recién molida

Aceite de canola, 2 cucharadas

Mantequilla sin sal, 2 cucharadas

Cebolla amarilla o blanca, 1 grande, picada

Pimiento verde, 1 pequeño, sin semillas, picado en cuadros

Apio, 3 tallos, picado en cuadros

Cebollitas de cambray, 4, las partes verdes y blancas, picadas

Ajo, 3 dientes, finamente picados

Tomillo fresco, 1 cucharadita, finamente picado

Harina de trigo simple, 3 cucharadas

Caldo de pollo (página 244) o consomé, 2½ tazas

Crema espesa, ¼ taza

Salsa de chile picante

Arroz al vapor para acompañar

RINDE 4 PORCIONES

Sazone las chuletas de puerco con sal y pimienta. En una sartén grande sobre fuego medio-alto caliente el aceite. Agregue las chuletas a la sartén y cocine durante 3 minutos, hasta que la parte inferior esté dorada. Voltee para dorar por el segundo lado alrededor de 3 minutos más. Pase a un plato.

Agregue la mantequilla a la sartén y reduzca el fuego a medio. Cuando la mantequilla se haya derretido, agregue la cebolla, pimiento, apio, cebollitas de cambray y ajo; mueva con una cuchara de madera para desprender los trocitos dorados de la sartén. Tape y cocine cerca de 8 minutos, moviendo ocasionalmente, hasta que las verduras estén suaves. Integre el tomillo. Espolvoree con la harina y mezcle hasta incorporar por completo. Gradualmente integre el caldo y hierva sobre fuego lento.

Vuelva a poner las chuletas en la sartén y reduzca el fuego a medio-bajo. Tape y cocine cerca de 20 minutos, hasta que las chuletas no muestren rastros de color rosado cuando se les pique en el hueso. Pase las chuletas de puerco a un platón profundo para servir y cubra holgadamente con papel aluminio para mantenerlas calientes.

Integre la crema al gravy en la sartén y hierva. Cocine cerca de un minuto, hasta espesar. Sazone al gusto con sal y salsa picante. Vierta el gravy sobre las chuletas y sirva de inmediato con el arroz al vapor.

 DELE UN GIRO Las pechugas de pollo son otro candidato excelente para este proceso. Selle las mitades de pechuga sin hueso y sin piel durante 2 minutos de cada lado y deje hervir lentamente en la salsa alrededor de 15 minutos.

La gente no puede comer estas sabrosas costillitas sin chuparse los dedos. El método de doble cocimiento, primero untadas con especias penetrantes y horneadas lentamente y luego asadas en un asador caliente con un sabroso glaseado, da por resultado una carne suave y con mucho sabor que se separa del hueso al más ligero mordisco.

COSTILLITAS DE PUERCO

Costillitas de espaldilla de lechón, 2 costillares (aproximadamente 2 ½ kg/5 lb en total)

Sal kosher, 2 cucharaditas

Páprika ahumada española, 1 cucharadita

Orégano seco, 1 cucharadita

Tomillo seco, 1 cucharadita

Ajo en trozo deshidratado, ½ cucharadita

Polvo de cebolla, ½ cucharadita

Pimienta recién molida, ½ cucharadita

Salsa picante estilo catsup, ½ taza

Mermelada de durazno o chabacano, ½ taza

Melaza oscura sin azufre, 2 cucharadas

Vinagre de sidra, 1 cucharada

Mostaza dijon, 1 cucharada

Salsa de chile picante, ½ cucharadita

Aceite de canola para asar

RINDE DE 4 A 6 PORCIONES

Precaliente el horno a 175°C (350°F). Corte cada costillar en 2 ó 3 secciones. Mezcle la sal con la páprika, orégano, tomillo, ajo granulado, polvo de cebolla y pimienta. Espolvoree la mezcla sobre ambos lados de las costillas y unte en la carne.

Acomode las costillitas, traslapándolas si fuera necesario, en una charola grande para asar. Tape herméticamente con papel aluminio, meta al horno y cocine durante 30 minutos. Retire el papel aluminio, voltee las costillitas y regrese al horno. Continúe cocinando cerca de 30 minutos más, hasta que las costillas estén suaves y doradas.

Mientras tanto prepare la salsa. En una olla pequeña mezcle la salsa picante, la mermelada, melaza, vinagre, mostaza y salsa de chile picante y lleve a ebullición sobre fuego medio-bajo. Cuando suelte el hervor retire del fuego y reserve.

Mientras las costillitas están en el horno, prepare el asador para cocinar a fuego directo sobre fuego medio-alto. Engrase ligeramente con aceite la rejilla del asador. Barnice ambos lados de las costillitas con la salsa. Ponga en el asador, cubra y cocine cerca de 3 minutos de cada lado, volteando una sola vez, hasta que estén brillantes y glaseadas. (O, si lo desea, aumente la temperatura del horno a 210°C (425°F). Deseche la grasa de la charola para asar y vuelva a poner las costillitas en la charola. Barnice las costillitas con un poco de la salsa y cocine cerca de 5 minutos, hasta que las costillitas estén brillantes y glaseadas. Voltee, barnice con más salsa y cocine cerca de 5 minutos más para glasear por el otro lado.)

Pase las costillitas a una tabla para picar y deje reposar durante 5 minutos. Corte entre los huesos para separar en costillitas individuales, acomode en un platón y acompañe con la salsa restante.

 DELE UN GIRO También las costillas de puerco son excelentes cuando se asan con este método en el horno. Son más grandes, tienen más carne y son un poco más duras que las costillitas de espaldilla de lechón por lo que tardarán cerca de 45 minutos en cocinarse cubiertas en el horno, otros 45 minutos sin cubrir y 15 minutos para glasear.

Así llamado en honor de un conde ruso del siglo XIX, este platillo del viejo mundo ha sido famoso en este lado del globo durante décadas. Miles de versiones llenan los recetarios de los Estados Unidos, pero ésta es particularmente sensacional: suaves trozos de filete, dulces chalotes, cantidad de champiñones salteados y una extraordinariamente rica salsa de crema.

FILETE CON CHAMPIÑONES STROGANOFF

Filete de sirloin, 750 g (1½ lb)

Sal kosher y pimienta recién molida

Tallarines anchos, 350 g (¾ lb)

Aceite de canola, 2 cucharadas más el necesario

Champiñones blancos u hongos cremini, 500 g (1 lb), rebanados

Mantequilla sin sal, 3 cucharadas

Chalotes, ⅓ taza, finamente picados

Crema ácida, 1½ taza, a temperatura ambiente

Eneldo fresco, 1 cucharada, finamente picado, más el necesario para adornar

RINDE 4 PORCIONES

Retire la grasa de la superficie del filete. Corte el filete en contra del grano en rebanadas de 6 mm (¼ in) de grueso y corte las rebanadas en trozos de 5 cm (2 in) de largo. Sazone con sal y pimienta.

Ponga a hervir agua salada en una olla grande sobre fuego alto. Agregue los tallarines y mueva ocasionalmente, hasta que el agua vuelva a hervir. Cocine siguiendo las instrucciones del paquete, hasta que estén al dente.

Mientras se cocinan los tallarines, dore el filete. En una sartén grande sobre fuego medio-alto caliente el aceite hasta que brille. Agregue el filete en tandas y cocine cerca de 1 ½ minuto por tanda, moviendo frecuentemente, hasta que estén ligeramente dorados y todavía bastante rojos por dentro, agregando más aceite a la sartén si fuera necesario. Pase la carne a un plato.

Cuando todo el filete esté listo, agregue los champiñones y 2 cucharadas de la mantequilla a la sartén y cocine sobre fuego medio-alto cerca de 6 minutos, moviendo frecuentemente, hasta que los champiñones estén ligeramente dorados. Añada los chalotes y cocine cerca de 2 minutos, moviendo ocasionalmente, hasta que se suavicen. Retire del fuego e integre el filete, crema ácida y una cucharada de eneldo. Vuelva a poner sobre fuego medio y hierva lentamente cerca de un minuto, moviendo constantemente, hasta que la crema se caliente por completo. No permita que hierva. Sazone con sal y pimienta.

Cuando los tallarines estén listos, escurra y regrese a la olla. Agregue la cucharada de mantequilla restante y mueva para cubrir. Divida los tallarines entre platos individuales y cubra cada porción con el filete y la salsa. Espolvoree con eneldo y sirva.

 DELE UN GIRO También puede hacer este platillo con 750 g (1 ½ lb) de medallones de ternera delgados, cortados en tiras de 1 ¼ cm (½ in) de ancho. O puede hacerlo con filete que le haya sobrado. Necesitará 2 tazas de filete cortado en cubos pequeños. Simplemente agréguelo a la mezcla de los champiñones junto con la crema y caliente completamente.

Es divertido comer con la mano estos calzone rellenos con una mezcla de queso ricotta, espinacas salteadas y cebollas. O, si lo prefiere, puede dar a los comensales tenedor y cuchillo y acompañarlos con una salsa marinara (página 245) ligeramente ácida para remojarlos, igual que se los darían en una clásica pizzería italiana americana.

CALZONE DE RICOTTA Y ESPINACAS

Masa para pizza (página 248)

Espinacas pequeñas, 300 g (10 oz)

Aceite de oliva, 2 cucharadas más lo necesario para barnizar

Cebolla amarilla o blanca, 1, finamente picada

Ajo, 2 dientes, finamente picados

Queso parmesano, ½ taza, recién rallado

Queso mozzarella fresco, 175 g (¼ lb), cortado en cubos pequeños

Queso ricotta, 1 taza

Sal kosher y pimienta recién molida

Harina de trigo simple o harina para pan para espolvorear

RINDE 6 EMPANADAS

La noche antes de servirlas prepare la masa para pizza y refrigere. Retire la masa del refrigerador 1 ó 2 horas antes de formar los calzone.

Para preparar el relleno, enjuague las espinacas pero no las seque. En una sartén grande sobre fuego medio, caliente las 2 cucharadas de aceite. Agregue la cebolla y cocine cerca de 4 minutos, moviendo ocasionalmente, hasta que esté translúcida. Integre el ajo y cocine cerca de un minuto, hasta que aromatice. Añada las espinacas, tape y cocine cerca de 3 minutos, hasta que estén suaves. Escurra la mezcla de espinacas en un colador presionando suavemente para retirar el exceso del líquido. Pase a un tazón, agregue los quesos parmesano, mozzarella y ricotta; mezcle hasta integrar por completo. Sazone con sal y pimienta.

Ponga las rejillas del horno en el centro y en el tercio inferior del horno y precaliéntelo a 200°C (400°F). Engrase 2 charolas para hornear con borde. Divida la masa para pizza en 6 porciones iguales y haga una bola con cada porción. Ponga las bolas sobre una superficie de trabajo y tape con un trapo de cocina. Ponga una bola en una superficie de trabajo enharinada y extienda con un rodillo formando un círculo de 18 cm (7 in) de diámetro. Barnice las orillas del círculo ligeramente con agua. Ponga una sexta parte de la mezcla de queso en el centro del círculo, dejando un borde de 2 ½ cm (1 in) sin cubrir. Doble la masa para unir las orillas y presiónelas con un tenedor. Pique la superficie de los calzone con el tenedor y pase a una charola para hornear. Repita la operación con la masa y el relleno restantes, poniendo 3 calzone en cada charola para hornear. Barnice los calzone con aceite de oliva.

Hornee alrededor de 20 minutos, hasta que estén dorados. Pase a rejillas de metal y deje enfriar durante 10 minutos. Sirva calientes.

 DELE UN GIRO Puede rellenar un calzone casi con cualquier combinación de carnes, quesos y verduras que pondría en su pizza. Por ejemplo, reemplace las espinacas de esta receta con una taza de champiñones o calabacitas rebanados y salteados, o con salchicha italiana partida en trocitos y cocida.

Los calzone, una deliciosa media luna de masa crujiente rellena de queso y muchos otros ingredientes, no tienen límites.

La pizza se ha acoplado a la cultura culinaria norteamericana: todos conocen el gran pay redondo cubierto con salsa de tomate y queso mozzarella derretido. Pero tuve que ir hasta Roma para saborear mi primer calzone. Un amigo italiano me convenció de probarlo explicándome que era como "una pizza doblada", así que cada uno pedimos uno. Su descripción fue insuficiente cuando vimos lo que llegó: se nos hizo agua la boca con las dos empanadas, una rellena de queso ricotta cremoso y salami y la otra con queso ricotta y verduras frescas. Después de un fallido intento de comer mi calzone con la mano como si fuera una rebanada de pizza, terminé comiendo mi nueva adquisición favorita con tenedor y cuchillo. Afortunadamente, los calzone aparecieron en el menú de mi pizzería local poco después de que regresé a casa.

Cada mamá parece tener su secreto para transformar un modesto trozo de carne en un exquisito y suave estofado para comidas o cenas. Algunas le agregan muchas zanahorias, otras prefieren pastinaca o camotes. En esta receta las rebanadas gruesas de cebolla y páprika le dan sabor. Le va a quedar mucha salsa, por lo que recomendamos hacer un puré de papa (página 190) para empaparlo de salsa.

ESTOFADO DE MAMÁ ESTILO CASERO

Cebollas amarillas o blancas, 3

Espaldilla de res en trozo, 1 (de aproximadamente 1 ¼ kg/2½ lb)

Sal kosher y pimienta recién molida

Harina de trigo simple, 1 ¼ taza

Grasa derretida de tocino o aceite de canola, 3 cucharadas

Ajo, 4 dientes, picados

Páprika dulce, de preferencia húngara o española, 1 cucharadita

Caldo de res (página 244) o consomé, 1½ taza

Jitomates de lata enteros, 1½ taza, escurridos y picados

Perejil liso fresco, 2 cucharadas, picado, más el necesario para adornar

RINDE DE 4 A 6 PORCIONES

Parta las cebollas a la mitad a través del tallo y corte las mitades en medias lunas de 1 ¼ cm (½ in) de grueso. Reserve. Sazone la carne con ¾ cucharadita de sal y ½ cucharadita de pimienta. Extienda la harina en un plato. Cubra la carne con la harina y retire sacudiendo el exceso.

En una olla grande de hierro fundido con tapa sobre fuego medio-alto caliente 2 cucharadas de la grasa del tocino. Agregue la carne y cocine cerca de 5 minutos en total, volteando ocasionalmente, hasta que esté dorada por ambos lados. Pase a un plato.

Agregue la cucharada restante de la grasa del tocino a la olla y caliente sobre fuego medio-alto. Añada las cebollas, tape y cocine cerca de 6 minutos, moviendo ocasionalmente, hasta que las cebollas se suavicen. Integre el ajo y la páprika; cocine durante 1 ó 2 minutos, hasta que el ajo aromatice. Agregue el caldo, jitomates, 2 cucharadas de perejil y mueva. Regrese la carne a la olla cubriéndola con las cebollas. Hierva el líquido y cuando suelte el hervor, reduzca el fuego a medio-bajo, tape y hierva lentamente alrededor de 2 horas, hasta que la carne se pueda cortar con un tenedor.

Pase la carne a un platón profundo para servir. Sazone la mezcla de cebollas con sal y pimienta. Retire la grasa de la superficie. Usando una cuchara acomode la mezcla de cebollas alrededor de la carne y espolvoree con más perejil. Sirva de inmediato.

DELE UN GIRO Para hacer carne de res con páprika, simplemente agregue crema ácida a la salsa. Pase la carne a un platón, retire la grasa de la salsa como lo indica la receta. Integre una taza de crema ácida a la salsa y cocine sólo hasta que esté caliente; no permita que hierva. Sazone con sal y pimienta. El estofado también queda excelente en sándwiches calientes. Rebane el estofado y sirva acompañando con bastantes de las jugosas cebollas dentro de bollos crujientes.

El pobre "sloppy Joe" tiene mala fama. Quizás las versiones poco inspiradas que sirven los empleados cansados de las cafeterías de las escuelas han apagado cualquier brillo que hubiera podido tener. Esta receta regresa al "sloppy Joe" a su posición correcta como un platillo para valorar cuando se quiere una cena en un bollo, rápida y sin pretensiones.

LOS AUTÉNTICOS "SLOPPY JOES" DE PICADILLO

Aceite de canola, 1 cucharada

Cebolla amarilla o blanca, 1, partida en cubos

Apio, 1 tallo, partido en cubos

Pimiento verde, ¼ taza, finamente picado

Carne de res molida, 750 g (1½ lb)

Salsa de tomate, 1 taza

Salsa de chile picante estilo catsup, ½ taza

Salsa inglesa, 1 cucharada

Mostaza dijon, 1 cucharada

Vinagre de sidra, 1 cucharada

Azúcar mascabado, 1 cucharada compacta

Sal kosher, 1 cucharadita

Pimienta recién molida, ¼ cucharadita

Bollos para sándwich con o sin semillas de ajonjolí, 6, abiertos a la mitad

RINDE 6 SÁNDWICHES

En una sartén grande sobre fuego medio, caliente el aceite. Agregue la cebolla, apio y pimiento; cocine cerca de 5 minutos, moviendo ocasionalmente, hasta que la cebolla se suavice. Agregue la carne y suba el fuego a medio-alto. Cocine cerca de 10 minutos moviendo y separando la carne con una cuchara de madera, hasta que no tenga rastros de color rosa. Integre ¼ taza de agua, la salsa de tomate, salsa picante estilo catsup, salsa inglesa, mostaza, vinagre, azúcar, sal y pimienta; lleve a ebullición. Cuando suelte el hervor reduzca el fuego a medio-bajo y hierva lentamente cerca de 20 minutos, moviendo frecuentemente, para mezclar los sabores.

Tueste los bollos. Ponga la parte inferior del bollo con el lado cortado hacia arriba en platos individuales precalentados y cubra con la mezcla de carne, dividiéndola uniformemente. Cubra con la parte superior del bollo y sirva de inmediato.

 DELE UN GIRO Los "sloppy Joes" también son deliciosos cuando se hacen con pavo o pollo molido. A algunos cocineros les gusta agregar 1 ó 2 tazas de frijoles bayos o pintos cocidos al picadillo justo antes de que esté listo. O puede cubrir el picadillo con rebanadas delgadas de queso cheddar antes de cubrirlo con la parte superior del bollo.

Si alguien menciona la palabra tacos y la primera cosa que le viene a la mente es carne molida insípida en tortillas de maíz dobladas y duras, se va a sorprender. Estos auténticos tacos son infinitamente más ricos: rebanadas de filete sazonado a la parrilla con guacamole cremoso, en tortillas de maíz calientes enrolladas. Este corte de carne sabe mejor cuando se asa a la parrilla a término medio-rojo.

TACOS DE CARNE ASADA

Chile en polvo, 2 cucharaditas

Sal kosher, 1 cucharadita

Orégano seco, 1 cucharadita

Comino molido, 1 cucharadita

Ajo granulado, ½ cucharadita

Falda de res, 750 g (1½ lb), cortada en 2 ó 3 piezas

GUACAMOLE CREMOSO
Aguacate maduro, 1, sin piel ni hueso y partido en cubos

Crema ácida, ¼ taza

Jugo fresco de limón, 1 cucharada

Sal kosher

Cilantro fresco, 3 cucharadas, picado

Tortillas de maíz, 12

Limón, 1, cortado en rebanadas

RINDE 6 PORCIONES

Para preparar la carne, mezcle el chile en polvo con la sal, orégano, comino y ajo. Espolvoree la mezcla sobre ambos lados del filete y úntelo en la carne. Deje reposar a temperatura ambiente mientras prepara el guacamole y el asador está listo.

Para preparar el guacamole, parta el aguacate a la mitad, retire la cáscara y el hueso; córtelo en cubos. En un tazón mezcle el aguacate con la crema ácida y el jugo de limón; machaque el aguacate con ayuda de un tenedor para formar un puré grueso. Sazone con sal e integre el cilantro. Ponga una pieza de plástico adherente directamente sobre la superficie del guacamole y deje reposar a temperatura ambiente mientras prepara el asador.

Prepare el asador para cocinar a fuego directo sobre fuego alto. Engrase ligeramente con aceite la parrilla del asador.

Ponga los filetes sobre el asador y tape. Ase alrededor de 2 ½ minutos, hasta que la parte inferior se dore. Voltee los filetes y ase alrededor de 2 ½ minutos más para término medio-rojo, hasta que el segundo lado esté dorado y la carne se sienta ligeramente elástica cuando se presione en el centro. (El filete de falda es demasiado delgado para insertarle un termómetro de lectura instantánea, por lo que es mejor usar este "método de presionar"). Pase a una tabla para picar, tape holgadamente con papel aluminio para mantenerla caliente y deje reposar durante 5 minutos.

Caliente las tortillas en el asador cerca de un minuto, volteando una vez, hasta que estén calientes y flexibles. Envuelva en una servilleta grande de tela o trapo de cocina para mantenerlas calientes.

Con el cuchillo de trinchar sujeto ligeramente en diagonal, corte los filetes en contra del grano en rebanadas delgadas. Pase a un tazón, agregando el jugo de la tabla.

Sirva la carne, el guacamole y las tortillas al mismo tiempo acompañando con las rebanadas de limón. Permita que los comensales se preparen sus propios tacos.

 DELE UN GIRO Usted puede agregar todo tipo de ingredientes a estos tacos para hacerlos a su estilo: la salsa fresca de jitomates, lechuga en tiritas, cucharadas de crema, queso cotija desmenuzado o queso Monterey Jack rallado. Puede también usar tortillas de harina en lugar de las de maíz.

Preparar una hamburguesa parece una tarea sencilla, pero para hacer una realmente buena, todos los ingredientes que use, desde la carne hasta el bollo o el jitomate, deberán ser de la mejor calidad. Mientras mejor sea la carne, mejor será la hamburguesa, por lo que recomendamos que use carne de res orgánica de granja si le es posible. No use carne molida sin nada de grasa, las hamburguesas necesitan un poco de grasa para estar jugosas.

HAMBURGUESA CON QUESO EXCEPCIONAL

Carne de res molida,
750 g (1½ lb)

Cebolla amarilla o blanca, 1 entera, más 3 cucharadas finamente picada

Salsa inglesa,
1 cucharada

Sal kosher y pimienta recién molida

Bollos para hamburguesa, 4, abiertos a la mitad

Mantequilla sin sal, 2 cucharadas, derretida

Aceite de canola para barnizar

Queso cheddar, 4 rebanadas

Jitomate grande maduro, 1, rebanado

Lechuga francesa o de hoja morada, 4 hojas

Catsup (página 246 o comprada) para acompañar

Mayonesa (página 246 o comprada) para acompañar

Pepinillos simples para acompañar

RINDE 4
HAMBURGUESAS

Prepare el asador para cocinar a fuego directo sobre fuego medio-alto. En un tazón mezcle la carne con las 3 cucharadas de cebolla finamente picada, salsa inglesa, 1 ½ cucharadita de sal y ¾ cucharadita de pimienta. Mezcle suavemente con sus manos sólo hasta integrar los ingredientes. Divida la mezcla entre 4 porciones iguales, forma una hamburguesa de aproximadamente 2 cm (¾ in) de grueso con cada porción. Barnice los lados cortados de cada bollo con la mantequilla.

Corte la cebolla entera en rodajas de 6 mm (¼ in) de grueso pero no separe los anillos. Barnice las rodajas con aceite y sazone con sal y pimienta.

Engrase la parrilla ligeramente con aceite. Ase las rodajas de cebolla cerca de 3 minutos de cada lado, volteando una sola vez, hasta que se hayan suavizado ligeramente. Ase las hamburguesas alrededor de 3 minutos, voltee y ponga una rebanada de queso sobre cada una. Cocine por el segundo lado durante 3 minutos más para término medio-rojo o hasta obtener el término deseado. Durante los últimos 2 minutos de cocimiento de las hamburguesas, ponga los bollos con el lado cortado hacia abajo sobre la parrilla y tueste hasta que estén ligeramente dorados.

Pase los bollos, con el lado cortado hacia arriba, a los platos. Ponga una hamburguesa en la parte inferior de cada bollo y cubra con las cebollas asadas, rebanadas de jitomate y lechuga. Sirva de inmediato permitiendo que los comensales agreguen la salsa catsup, mayonesa y pepinillos a su gusto.

 DELE UN GIRO Puede variarla cambiando los ingredientes de la cubierta: Use queso azul desmoronado en lugar del queso cheddar, o Aros de Cebolla Rebozados en Cerveza (página 166) en lugar de cebollas a la parrilla. Los champiñones salteados o rebanadas de tocino son bienvenidos en cualquier hamburguesa.

Hace muchos años, el filete suizo era uno de los cortes principales en el supermercado. Cada quién escogía su filete y el carnicero lo pasaba por la máquina "Swissing" que perforaba la carne para suavizarla. Hoy en día, los filetes suizos que algunas veces se llaman "cube steaks" son más difíciles de encontrar, pero esta receta hace que la búsqueda valga la pena.

MILANESA DE FILETE CON GRAVY DE CREMA

Filete de res suizo o cube steak, 750 g (1½ lb), de máximo 3 mm (⅛ in) de grueso

Sal kosher y pimienta recién molida

Harina de trigo simple, 1¼ taza más 2 cucharadas

Leche entera, 2½ tazas

Huevos grandes, 2

Aceite de canola para freír

RINDE 4 PORCIONES

Corte el filete en 4 piezas iguales. Sazone los filetes con una cucharadita de sal y ¼ cucharadita de pimienta. En un tazón poco profundo mezcle 1 ¼ taza de harina con ½ cucharadita de sal y la misma cantidad de pimienta. En un segundo tazón poco profundo bata ½ taza de la leche con los huevos. Trabajando con uno a la vez, cubra cada pieza de filete con la mezcla de la harina y retire sacudiendo el exceso, sumerja en la mezcla de huevo cubriendo uniformemente y retire permitiendo que escurra el exceso. Pase otra vez por la mezcla de harina para cubrir uniformemente y retire sacudiendo el exceso una vez más. Pase las piezas de filete cubiertas a un plato.

Precaliente el horno a 100°C (200°F). Ponga una rejilla de metal en una charola para hornear con borde y coloque junto a la estufa. En una sartén gruesa (de preferencia de hierro fundido) vierta aceite de canola hasta obtener una profundidad de 2 ½ cm (1 in) y caliente sobre fuego medio-alto hasta que el aceite brille. Agregue los filetes y cocine cerca de 1 ½ minuto, hasta que la parte inferior esté dorada. Voltee y cocine cerca de 1 ½ minuto más, hasta que el otro lado esté dorado. Pase a la rejilla y mantenga calientes en el horno mientras prepara el gravy.

Cuidadosamente vierta el aceite caliente de la sartén en un tazón y reserve. Limpie la sartén con toallas de papel. En una olla sobre fuego medio caliente las 2 tazas restantes de leche y justo antes de que hierva, retire del fuego. Vuelva a poner 2 cucharadas de la grasa en la sartén y caliente sobre fuego medio-bajo. Integre las 2 cucharadas restantes de harina, batiendo con un batidor globo, y deje burbujear ligeramente durante 2 minutos. Gradualmente integre la leche caliente, batiendo, y lleve a ebullición sobre fuego alto. Cuando suelte el hervor reduzca el fuego a medio-bajo y hierva lentamente cerca de 3 minutos, batiendo frecuentemente, hasta que esté ligeramente espesa. Sazone con sal y pimienta y vierta en una salsera. Sirva los filetes de inmediato acompañando a la mesa con el gravy.

 DELE UN GIRO Haga el puré de papa (página 190) para que pueda bañarlo con una gran cantidad de gravy. Para una versión picante puede agregar chile chipotle adobado molido. Añada ⅛ cucharadita del chile molido a los sazonadores de la carne y ⅛ cucharadita al gravy.

Muy pocos platillos son más apropiados para la cena que un precioso pollo rostizado, con su piel dorada del color de las castañas y su carne jugosa. Esta versión con aroma de limón y hierbas se cocina en una sartén en lugar de en una charola para asar, lo cual hace que la grasa que suelta sea especialmente oscura y tenga mucho sabor, el comienzo perfecto para preparar un delicioso gravy.

POLLO ROSTIZADO AL LIMÓN

Pollo entero,
1 (de aproximadamente 3
¼ kg/6½ lb)

**Sal kosher y pimienta
recién molida**

Mantequilla sin sal,
4 cucharadas, a
temperatura ambiente

**Tomillo limón fresco o
tomillo fresco,**
2 cucharaditas, finamente
picado

Limón amarillo, 8, partidos
en rebanadas delgadas

Aceite de oliva, 1
cucharada

**Caldo de pollo (página
244) o consomé,**
aproximadamente 2 tazas

Harina de trigo simple,
2 cucharadas

Crema espesa, ¼ taza

RINDE DE 6 A 8
PORCIONES

Por lo menos un día antes de asar el pollo, enjuáguelo debajo del agua fría pero no lo seque. Espolvoree el pollo por dentro y por fuera con 2 cucharadas de sal. Métalo en una bolsa de plástico y refrigere por lo menos durante 16 horas o hasta por 48 horas. Retire el pollo del refrigerador 1 ó 2 horas antes de meter al horno.

Precaliente el horno a 210°C (425°F). Enjuague el pollo por adentro y por afuera debajo del chorro de agua fría. Seque el pollo perfectamente con toallas de papel. En un tazón mezcle la mantequilla con el tomillo. Empezando por la cavidad meta sus dedos por debajo de la piel del pollo y aflójela con cuidado para no romperla, llegando tan lejos como le sea posible hasta la zona de los muslos. Usando sus dedos, unte la mantequilla debajo de la piel para distribuirla lo más uniformemente posible. Meta las rebanadas de limón debajo de la piel de la pechuga, 4 rebanadas de cada lado. Unte el pollo uniformemente con el aceite y sazone con ½ cucharadita de pimienta. Doble las puntas de las alas y métalas por debajo de los hombros. No amarre el pollo.

Ponga una sartén grande y gruesa (de preferencia de hierro fundido) en el horno y caliente cerca de 5 minutos, hasta que esté muy caliente. Tuerza una tira de papel aluminio de 30 cm (12 in) de largo para hacer una cuerda y haga un anillo. Retire la sartén del horno y cuidadosamente coloque el anillo en la sartén. Ponga el pollo, con el lado de las pechugas hacia arriba, sobre el anillo. Vuelva a meter la sartén en el horno y ase cerca de una hora con 20 minutos, barnizando ocasionalmente con la grasa de la sartén, hasta que un termómetro de lectura instantánea insertado en la parte más gruesa del muslo lejos del hueso registre 80°C (165°F). Pase el pollo a un platón y deje reposar por lo menos durante 15 minutos antes de cortarlo.

Deseche el anillo de aluminio. Vierta el líquido de la sartén en una taza para medir resistente al calor. Deje reposar durante unos minutos, retire el exceso de grasa con ayuda de una cuchara y reserve el líquido. Agregue la cantidad necesaria de caldo al líquido de la taza medidora para completar 2 tazas en total.

Vuelva a poner la sartén sobre fuego medio. Añada 2 cucharadas de la grasa reservada e integre la harina batiendo con un batidor globo. Deje burbujear durante un minuto. Integre gradualmente la mezcla del caldo y la crema, batiendo, y lleve a ebullición. Cuando suelte el hervor reduzca el fuego a bajo y hierva a fuego lento cerca de 3 minutos, batiendo frecuentemente, hasta espesar. Sazone con sal y pimienta y vierta en una salsera. Corte el pollo y sirva caliente acompañando a la mesa con la salsera.

Dos cosas hacen que este tradicional guisado se distinga de sus rivales: dorar la carne en grasa de tocino y añadir muchas verduras a la olla, las cuales le dan un gran sabor a la salsa aterciopelada. El resultado es comida reconfortante al estilo de la abuela. Esta abuela no cocinaba con vino, pero si quiere hacerlo, solamente "dele un giro" (vea abajo).

GUISADO SUSTANCIOSO DE RES

Espaldilla de res sin hueso,
1 ½ kg (3 lb)

Tocino ahumado en madera de manzano, 4 rebanadas gruesas, picado

Aceite de canola, 2 cucharadas

Sal kosher y pimienta recién molida

Cebolla amarilla o blanca, 1, picada

Zanahorias, 3, cortadas en trozos

Apio, 3 tallos, cortado en trozos de 1 ¼ cm (½ in) de largo

Ajo, 2 dientes, picados

Mantequilla sin sal, 2 cucharadas

Harina de trigo simple, 6 cucharadas

Caldo de res (página 244) o **consomé, 4** tazas

Pasta de tomate, 2 cucharadas

Perejil liso fresco, 1 cucharada, picado, más lo necesario para adornar

Tomillo y romero frescos, 1 cucharadita *de cada uno,* finamente picados

Hoja de laurel, 1

Papas rojas, 675 g (1¼ lb)

RINDE 6 PORCIONES

Ponga una rejilla del horno en el tercio inferior del horno y precaliéntelo a 165°C (325°F). Corte la carne en cubos de 3 ¾ cm (1 ½ in) y reserve. En una olla grande de hierro fundido con tapa sobre fuego medio, cocine el tocino en el aceite cerca de 7 minutos, moviendo ocasionalmente, hasta que el tocino esté dorado y crujiente. Usando una cuchara ranurada pase a toallas de papel para escurrir y reserve. Vierta la grasa en un tazón térmico. Regrese 2 cucharadas de grasa a la olla y caliente sobre fuego medio-alto. Sazone los cubos de carne con sal y pimienta. Trabajando en tandas para no amontonar, agregue la carne y cocine cerca de 5 minutos por tanda, moviendo ocasionalmente, hasta dorar por todos lados. Pase la carne a un plato.

Agregue otras 2 cucharadas de la grasa a la olla y caliente sobre fuego medio. Añada las cebollas, zanahorias, apio y ajo; cocine cerca de 5 minutos, moviendo ocasionalmente, hasta que la cebolla se suavice. Integre la mantequilla y derrita. Espolvoree con la harina y mezcle hasta integrar por completo. Gradualmente integre el caldo y luego la pasta de tomate, una cucharada de perejil, el tomillo, romero y hoja de laurel. Vuelva a poner la carne en la olla y lleve a ebullición. Cuando suelte el hervor, tape y hornee durante 1 ½ hora.

Corte las papas con piel en cubos de 2 ½ cm (1 in), agregue a la olla, mueva, vuelva a tapar y continúe cocinando cerca de 45 minutos más, hasta que la carne y las papas estén suaves. Sazone el guisado con sal y pimienta. Sirva de inmediato adornando con el perejil y el tocino reservado.

 DELE UN GIRO Sustituya 1 ½ taza de caldo de res por la misma cantidad de un vino tinto con cuerpo como el Syrah o el Zinfandel. Si lo desea, saltee 250 g (½ lb) de hongos cremini partidos en cuarterones en 2 cucharadas de aceite de oliva sobre fuego medio alrededor de 5 minutos, hasta que se doren, y agregue al guisado con las papas.

ACOMPAÑAMIENTOS

La primera vez que fui a una cafetería elegante en el sur (hay muchas), me sentí agradablemente abrumado por la gran selección de platillos de acompañamiento disponibles. De hecho, no me serví jamón al horno ni pollo rostizado ¡para guardar más lugar para los acompañamientos! Después de un primer plato frío de ensalada cremosa de papa y ensalada crujiente de col, regresé por mi plato de papas gratinadas, ejotes estofados con tocino, macarrones con queso, espinacas a la crema y, por supuesto, hojaldrados bisquets calientes y pan de elote. Lo que hacía que los acompañamientos de la cafetería fueran tan especiales era fácil de ver: los cocineros habían tenido tanto empeño en su preparación como el que habían tenido en los platillos supuestamente "más importantes". Nunca olvidé esa lección y se puede ver en la selección de acompañamientos que aparecen en las siguientes páginas. Con un poco de atención al detalle, incluso la comida del diario como son el puré de papa y los frijoles horneados merecen repetirse hasta dos o tres veces.

La versión tradicional de esta cazuela hecha con latas de crema de champiñones y cebollas fritas a la francesa es parte de la comida americana de preparación rápida y un platillo clásico en miles de menús para días festivos. Esta receta actualizada, hecha con ingredientes frescos, garantiza que la receta antigua queda atrás.

NUEVA CAZUELA DE EJOTES

Ejotes, 600 g (1¼ lb)

Sal kosher y pimienta recién molida

Mantequilla sin sal, 2 cucharadas

Champiñones, 300 g (10 oz), rebanados

Chalotes, 3 grandes más 3 cucharadas finamente picados

Harina de trigo simple, ⅓ taza más 3 cucharadas

Media crema, 1 taza

Caldo de pollo (página 244) o consomé, 1 taza

Salsa de soya, de preferencia salsa de soya de champiñones, 1 cucharadita

Aceite de canola para fritura profunda

RINDE DE 6 A 8 PORCIONES

Precaliente el horno a 175°C (350°F). Engrase ligeramente con mantequilla un refractario profundo con capacidad de 2 ½ litros (2 ½ qt). Recorte los ejotes y parta transversalmente a la mitad. Ponga a hervir una olla con agua salada sobre fuego alto. Agregue los ejotes y cocine cerca de 4 minutos, hasta que estén suaves pero crujientes. Escurra y enjuague bajo el chorro del agua fría. Seque dándoles palmaditas con toallas de papel y reserve.

En una olla sobre fuego medio derrita la mantequilla. Añada los champiñones y cocine de 6 a 7 minutos, moviendo, hasta que suelten su jugo y estén dorados. Integre las 3 cucharadas de chalote finamente picado y cocine de 2 a 3 minutos, hasta suavizar. Espolvoree con las 3 cucharadas de harina y mezcle hasta incorporar por completo. Integre gradualmente la media crema, caldo y salsa de soya y lleve a ebullición, moviendo a menudo. Cuando suelte el hervor reduzca el fuego a bajo y hierva lentamente de 4 a 5 minutos, moviendo hasta espesar. Integre los ejotes, sazone con sal y pimienta y pase la mezcla al refractario preparado. (Puede prepararse hasta este punto con un día de anticipación, tapar y refrigerar). Hornee cerca de 20 minutos, hasta que el líquido burbujee (30 minutos si ha sido refrigerado).

Mientras la cazuela esté en el horno, vierta aceite en una olla gruesa hasta obtener una profundidad de 5 cm (2 in) y caliente sobre fuego alto hasta que registre 175°C (350°F) en un termómetro para fritura profunda. Forre una charola para hornear con toallas de papel y coloque cerca de la estufa. Corte los 3 chalotes restantes transversalmente en rebanadas de 3 mm (⅛ in) de grueso y separe en anillos. Ponga ⅓ taza de harina en un tazón pequeño. Mezcle los anillos de chalote con la harina hasta cubrir uniformemente, retire sacudiendo el exceso. Trabajando en tandas para no amontonar, agregue los chalotes al aceite caliente y fría en fritura profunda alrededor de 30 segundos, hasta dorar. Pase a toallas de papel para escurrir.

Retire la cazuela del horno, esparza los chalotes fritos sobre la superficie y sirva.

 DELE UN GIRO Sustituya los ejotes por un brócoli entero de aproximadamente 750 g (1 ½ lb) cortado en florecillas. Si no quiere freír los chalotes, espolvoree ½ taza de almendras tostadas en rebanadas sobre la cazuela antes de servir.

Darle una mordida a una mazorca de elote caliente untada con mantequilla es uno de los placeres más grandes del verano. Aquí se le da un toque latino a esta receta clásica al añadir limón y cilantro a la mantequilla y acompañar a la mesa con chile en polvo. Tenga cuidado de no sobre cocinar el elote, sabe mejor cuando los granos están todavía un poco crujientes.

MAZORCAS DE ELOTE ESTILO MEXICANO

MANTEQUILLA DE CILANTRO Y LIMÓN

Mantequilla sin sal, ½ taza, a temperatura ambiente

Cilantro fresco, 2 cucharadas, finamente picado

Ralladura fina de limón, de 1 limón

Jugo fresco de limón, 1 cucharada

Elotes amarillos frescos, 6 mazorcas

Chile ancho puro en polvo o algún otro chile en polvo para acompañar

Sal kosher

RINDE 6 PORCIONES

Para preparar la mantequilla de cilantro y limón, aplaste la mantequilla con el cilantro, ralladura y jugo de limón en un tazón pequeño con ayuda de una espátula de hule. Tape y deje reposar mientras prepara los elotes. (La mantequilla se puede preparar, tapar y refrigerar hasta por 2 días. Deje reposar a temperatura ambiente antes de servir).

Retire las hojas y los hilos de seda de los elotes. En una olla grande ponga a hervir agua sobre fuego alto. Agregue los elotes y cocine cerca de 5 minutos, hasta que los granos estén suaves pero crujientes. Escurra perfectamente y pase a un platón para acompañar.

Sirva los elotes muy calientes acompañando con la mantequilla de cilantro y limón, chile en polvo y sal, para que los comensales se los preparen al gusto.

 DELE UN GIRO En México los elotes blancos se comen untados con crema o mayonesa, espolvoreados con queso *cotija* rallado y sazonados con chile en polvo y un poco de jugo de limón.

Aquí, los dulces jitomates cereza y las bolitas de queso mozzarella del mismo tamaño, conocidas como *ciliegine*, se complementan en esta clásica ensalada perfectamente balanceada. Sola o servida sobre gruesas rebanadas de pan a la parrilla, es una explosión de los sabores del verano. Usted también puede usar un arco iris de jitomates *heirloom* rebanados en lugar de los jitomates cereza.

ENSALADA DE JITOMATES Y MOZZARELLA CON PESTO

Pesto de albahaca (página 245 o comprado), 3 cucharadas

Vinagre de vino tinto, 1½ cucharada

Aceite de oliva extra virgen, ¼ taza

Sal kosher y pimienta recién molida

Jitomates cereza rojos, amarillos y naranjas mezclados, aproximadamente 4 tazas

Bolitas de mozzarella fresco, como *ciliegine o bocconcino*, 250 g (½ lb)

RINDE DE 4 A 6 PORCIONES

En un tazón bata el pesto con el vinagre, usando un batidor globo. Batiendo constantemente, agregue lentamente el aceite hasta emulsionar. Sazone con sal y pimienta al gusto.

Rebane los jitomates y las bolitas de queso mozzarella a la mitad, agregue al tazón con el pesto y mezcle cuidadosamente. Sazone con sal y pimienta y pase a un platón para acompañar. Sirva de inmediato.

 DELE UN GIRO Jitomates, mozzarella y pesto son una clásica combinación para los paninis. En lugar de usar jitomates cereza y bolitas de queso mozzarella, use rebanadas de jitomates heirloom grandes y rebanadas delgadas de queso mozzarella fresco. Sobre una rebanada de pan ácido unte la vinagreta de pesto, luego ponga las rebanadas de mozzarella, las rebanadas de jitomate y más rebanadas de mozzarella, en ese orden. Unte una segunda rebanada de pan con más vinagreta de pesto, coloque con el lado del pesto hacia abajo sobre el queso mozzarella. Barnice la parte exterior del pan con aceite de oliva. Usando una parrilla para panini, tueste el sándwich hasta que el pan esté dorado y el queso derretido.

BRUSCHETTA DE JITOMATE

Ensalada de jitomate y mozzarella (arriba)

***Pain au levain,* pan ácido o algún otro pan campestre,** 6 rebanadas de aproximadamente 1 ¼ cm (½ in) de grueso, cortadas transversalmente a la mitad

RINDE DE 4 A 6 PORCIONES

Prepare la ensalada de jitomate y mozzarella siguiendo las instrucciones y reserve.

Prepare un asador para cocinar a fuego directo sobre fuego medio-alto. Engrase la parrilla ligeramente con aceite. O, si lo desea, puede calentar una plancha para asar gruesa, de preferencia de hierro fundido, sobre fuego medio. Barnice el pan con aceite de oliva y ase cerca de 2 minutos, volteando una vez, hasta que esté tostado por ambos lados. Pase las rebanadas de pan tostadas a un platón para acompañar. Cubra con la ensalada de jitomate y sirva de inmediato.

Las papas fritas delgadas podrán tener sus seguidores pero cuando usted quiera papas a las que pueda dar una buena mordida, haga un montón de estas gruesas papas fritas. Para asegurar un exterior perfectamente crujiente y un interior ligero y esponjoso, debe remojar, secar y freír doblemente las papas. Para que realmente sean exquisitas, sírvalas con la salsa catsup hecha en casa (página 246).

PAPAS A LA FRANCESA GRUESAS

Papas para hornear, 4 grandes

Aceite de canola para fritura profunda

Sal de mar

RINDE 4 PORCIONES

Por lo menos 3 ½ horas antes de servir, corte cada papa longitudinalmente a la mitad. Corte cada mitad en rebanadas de aproximadamente 1 ¼ cm (½ in) de grueso. Ponga las rebanadas en un tazón grande y agregue agua helada para cubrir. Deje reposar por lo menos durante 30 minutos o hasta una hora. Escurra las papas perfectamente. Trabajando en tandas, ponga las papas en una secadora de ensaladas, luego extiéndalas sobre un trapo de cocina, envuelva y deje reposar durante 30 minutos más, hasta que se absorba toda la humedad restante.

Vierta aceite en una olla grande y gruesa hasta obtener una profundidad de 7 ½ cm (3 in) y caliente sobre fuego alto hasta que registre 157°C (315°F) en un termómetro de fritura profunda. Coloque una rejilla grande de metal sobre una charola para hornear con borde y ponga cerca de la estufa.

Trabajando en tandas para no amontonar, agregue las papas al aceite caliente y fría en fritura profunda cerca de 4 minutos, moviendo ocasionalmente con una cuchara de madera para separarlas, hasta que se tornen de un color dorado pálido y casi estén blandas. Las papas no deberán dorarse en este punto, aunque pueden estar un poco doradas de las orillas. Usando una espumadera de metal, pase las papas a la rejilla para escurrir. Repita la operación con las papas restantes dejando que el aceite vuelva a registrar 157°C (315°F) antes de agregar la siguiente tanda. Retire la olla con el aceite del fuego y reserve. Deje reposar las papas por lo menos 2 horas y hasta por 4 horas, hasta que se hayan enfriado completamente.

Cuando esté listo para acompañar, precaliente el horno a 100°C (200°F). Recaliente el aceite en la olla sobre fuego alto hasta que registre 175°C (350°F). Pase las papas a otra charola para hornear (no necesita ponerle una rejilla) para que la primera charola para hornear con su rejilla esté libre para recibir las papas completamente fritas. Trabajando en tandas para no amontonar, agregue las papas al aceite caliente y fría en fritura profunda de 2 a 3 minutos, hasta que estén doradas y crujientes. Pase a la rejilla y mantenga calientes en el horno mientras fríe las papas restantes. Pase a un platón para acompañar y espolvoree con sal. Sirva de inmediato.

 DELE UN GIRO La salsa catsup es el clásico acompañamiento para las papas fritas en los Estados Unidos, pero a los belgas les encantan las papas con mayonesa. Para un agasajo suculento, integre hierbas frescas, finamente picadas (romero y tomillo son especialmente buenas), ralladura de limón o ajo finamente picado a la mayonesa hecha en casa (página 246).

No tienen que ser de Dixie para que le gusten estos bisquets hojaldrados y amantequillados. Crujientes por fuera y suaves por dentro, son tan fáciles de preparar que muchos cocineros sureños preparan una tanda para acompañar con cada comida, ya sea un desayuno copioso de huevos estrellados y sémola con queso (página 27), una sopa caliente para la comida o para acompañar un jamón horneado en la cena.

BISQUETS DE BUTTERMILK

Harina de trigo simple, 1 taza

Harina preparada para pastel, 1 taza

Polvo para hornear, 2 cucharaditas

Bicarbonato de sodio, ½ cucharadita

Sal kosher, ½ cucharadita

Mantequilla sin sal, 6 cucharadas, fría

Buttermilk o yogurt, ¾ taza

Mantequilla y miel de abeja para acompañar (opcional)

RINDE DE 6 A 8 BISQUETS

Precaliente el horno a 200°C (400°F). Tenga lista una charola para hornear con borde sin engrasar.

En un tazón cierna la harina de trigo simple con la harina para pastel, polvo para hornear, bicarbonato de sodio y sal. Corte la mantequilla en trozos pequeños y esparza sobre la mezcla de las harinas. Usando un mezclador de varillas o 2 cuchillos, integre la mantequilla con la mezcla de harina sólo hasta que la mezcla forme grumos gruesos del tamaño de un chícharo. Agregue el buttermilk y mueva sólo hasta que la masa se junte. Amase la masa algunas veces en el tazón.

Extienda la masa sobre una superficie de trabajo ligeramente enharinada. Con cuidado, dele golpecitos a la masa hasta formar un círculo de 2 cm (¾ in) de grueso. Usando un molde redondo para cortar bisquets o galletas, corte todos los círculos que le sea posible. Póngalos en la charola para hornear dejando una separación de 2 ½ cm (1 in) entre ellos. Reúna los recortes de masa, extiéndalos otra vez dando golpecitos, corte más círculos de masa y póngalos en la charola para hornear. Hornee los bisquets de 18 a 20 minutos, hasta que se hayan esponjado y estén dorados. Sirva calientes acompañando con mantequilla y miel de abeja si lo desea.

 DELE UN GIRO Para bisquets más sabrosos y salados, integre ½ taza de queso cheddar fuerte rallado, 1 ½ cucharada de cebollín fresco finamente picado y ¼ cucharadita de pimienta recién molida en la mezcla de harina y mantequilla antes de añadir el buttermilk. Quizás necesite un poco más de buttermilk. Los bisquets no subirán tanto, pero estarán deliciosos.

Ya sea desayuno, comida o cena; cualquier comida es mejor cuando hay una canasta grande de bisquets hojaldrados recién horneados en la mesa.

Los bisquets perfectos, suaves círculos que se desbaratan al menor jaloncito, son una verdadera prueba del arte del panadero. Aprendí a hacer bisquets con la abuela de una amiga, una gran dama sureña que nos ponía un cronómetro mientras trabajábamos y nos explicaba: "Para hacer una docena no deben tardar más de cinco minutos. Si se tardan más, quedan duros." Por supuesto que ella tenía razón. Si la masa se amasa mucho, el gluten en la harina se sobre activa y produce discos duros para hockey en lugar de bisquets esponjados. Ella también insistía que todos los reposteros serios deberían tener siempre 1 litro (1 qt) de buttermilk en el refrigerador. Los ácidos presentes en el buttermilk ayudan a suavizar el gluten en la harina, otro secreto para obtener bisquets ligeros y suaves.

Puede servir estos clásicos aros de cebolla ocupando su papel de honor de siempre, acompañando una hamburguesa con queso o sobre un filete a la parrilla. Pero también pueden ser una exitosa botana, especialmente cuando se acompañan con un tarro de cerveza fría y espumosa. Las cebollas dulces Vidalia, que son más suaves que las cebollas amarillas, son especialmente una opción muy sabrosa.

AROS DE CEBOLLA REBOZADOS EN CERVEZA

Harina preparada para pastel, 1 taza

Huevo grande, 1

Sal fina de mar

Pimienta de cayena, ¼ cucharadita

Cerveza lager, ¾ taza

Cebollas Vidalia o amarillas, 2 grandes (aproximadamente 500 g/1 lb en total)

Aceite de canola para fritura profunda

Salsa catsup (página 246 o comprada) para acompañar (opcional)

RINDE DE 4 A 6 PORCIONES

En un tazón bata la harina con el huevo, ½ cucharadita de sal y la pimienta de cayena hasta integrar. Agregue la cerveza y bata con un batidor globo sólo hasta integrar. No se preocupe si la mezcla tiene algunos grumos. Deje reposar durante 30 minutos.

Mientras tanto, corte las cebollas en rodajas gruesas y separe en anillos.

Vierta aceite en una olla grande y gruesa hasta obtener una profundidad de por lo menos 7 ½ cm (3 in) y caliente sobre fuego alto hasta que registre 175°C (350°F) en un termómetro para fritura profunda. Precaliente el horno a 100°C (200°F). Ponga una rejilla grande de metal en una charola para hornear con borde y coloque cerca de la estufa.

Trabajando en tandas para no amontonar, sumerja los aros de cebollas en la mezcla para cubrir, retire dejando que el exceso de mezcla caiga de nuevo en el tazón y cuidadosamente ponga en el aceite caliente. Fría en fritura profunda cerca de 3 minutos, hasta que estén dorados. Usando una espumadera de metal, pase a la rejilla y mantenga calientes en el horno mientras fríe los aros de cebolla restantes.

Pase los aros de cebolla a un platón para servir y espolvoree con sal. Sirva de inmediato acompañando con catsup si lo desea.

 DELE UN GIRO Este pasta para rebozar sirve también para preparar otras verduras. Experimente con flores de brócoli o coliflor, champiñones, hongos cremini o corazones de alcachofa descongelados. Termine poniendo sal y un poco de jugo fresco de limón amarillo.

Para muchos de nosotros, las espinacas a la crema se sirven en ocasiones especiales en restaurantes con mantel blanco que sirven carnes. Es un platillo que la gente come con gusto en restaurantes pero que, por alguna razón, se olvida hacer en casa. Con chalotes, ajo y queso parmesano esta receta no es nada tímida y es deliciosa cuando acompaña gruesos y jugosos filetes o guisados.

ESPINACAS A LA CREMA

Espinacas, 1½ kg (3 1/2 lb)

Crema espesa, 1 taza

Leche entera, 1 taza

Mantequilla sin sal, 3 cucharadas

Chalotes, ¼ taza, finamente picados

Ajo, 1 diente, finamente picado

Harina de trigo simple, 3 cucharadas

Queso parmesano, ½ taza, recién rallado

Sal kosher y pimienta recién molida

Nuez moscada recién rallada

RINDE 6 PORCIONES

Retire y deseche los tallos de las hojas de las espinacas y pique grueso las hojas. Llene el fregadero o un tazón grande con agua fría. Ponga las espinacas en el agua y muévalas para que se desprenda toda la suciedad. Pase las espinacas, con el agua que les haya quedado en las hojas, a un tazón grande.

En una olla grande sobre fuego alto ponga a hervir ½ taza de agua. Trabajando en tandas, agregue las espinacas a la olla, cubra, dejando que cada tanda se marchite antes de añadir la siguiente. Cocine cerca de 5 minutos, hasta que las espinacas estén suaves. Escurra las espinacas en un colador de malla gruesa y enjuague brevemente debajo del chorro del agua fría. Deje enfriar hasta que se puedan tocar. Trabajando con un manojo a la vez, exprima las espinacas para retirar el exceso de agua y ponga en un tazón. Reserve.

En una olla pequeña sobre fuego medio hierva la crema y la leche. Cuando suelte el hervor retire del fuego. En la misma olla grande que usó para las espinacas, derrita la mantequilla sobre fuego medio. Agregue los chalotes y el ajo, cocine cerca de 2 minutos moviendo frecuentemente, hasta que los chalotes se suavicen. Integre la harina batiendo con un batidor globo. Reduzca el fuego a medio-bajo y deje burbujear durante un minuto. Integre gradualmente la mezcla caliente de crema batiendo con el batidor globo, suba el fuego a medio y lleve a ebullición, moviendo frecuentemente. Reduzca el fuego a medio-bajo, hierva lentamente cerca de 5 minutos, hasta que espese ligeramente. Integre las espinacas, cocine cerca de 5 minutos más, hasta calentar completamente.

Integre el parmesano, batiendo, y sazone con sal, pimienta y una pizca de nuez moscada. Pase a un platón precalentado para acompañar y sirva de inmediato.

 DELE UN GIRO Justo antes de servir, cubra las espinacas a la crema con una generosa espolvoreada de tocino crujiente o panceta picados. Puede hacerlo aún más sustancioso añadiendo hongos, como los champiñones blancos, cremini o shiitake. Saltee una taza de champiñones rebanados en una cucharada de mantequilla sin sal, alrededor de 5 minutos, hasta que estén ligeramente dorados. Agregue a la salsa junto con las espinacas.

Una vez que haya probado este platillo de granos de elote dulces y lechosos bañados con crema y mantequilla, nunca más va a usar los de lata. Use solamente elotes frescos de granja en esta receta y consúmalos pronto cuando los compre, antes de que sus azúcares naturales tengan tiempo de convertirse en almidón.

GRANOS DE ELOTE A LA CREMA

Elotes amarillos frescos,
6 mazorcas

Mantequilla sin sal,
2 cucharadas

Cebolla amarilla o blanca,
1 pequeña, finamente
picada

Azúcar, ½ cucharadita

**Sal kosher y pimienta
recién molida**

Crema espesa, ¾ taza

Cebollín fresco,
2 cucharadas, finamente
picado

RINDE 4 PORCIONES

Retire las hojas y los hilos de seda de las mazorcas. Usando un cuchillo para chef corte cada mazorca transversalmente a la mitad. Trabajando con una a la vez, ponga las mitades de elote, con el lado cortado hacia abajo, sobre una tabla para picar y rebane los granos del elote. Pase los granos a un tazón. Usando el revés de la navaja del cuchillo, presione para pasar la leche y la pulpa de las mazorcas al tazón.

En una sartén grande sobre fuego medio derrita la mantequilla. Agregue la cebolla y cocine de 5 a 6 minutos, moviendo ocasionalmente, hasta que esté translúcida. Añada los granos de elote con la pulpa, el azúcar y ½ taza de agua y sazone con sal y pimienta. Lleve a ebullición y cuando suelte el hervor reduzca el fuego, tape y cocine de 8 a 10 minutos, moviendo ocasionalmente, hasta que los granos de elote estén suaves pero todavía un poco crujientes. Destape y cocine de 2 a 3 minutos, hasta que el agua se evapore.

Agregue la crema a la olla, suba el fuego a medio y cocine cerca de 3 minutos, hasta que la crema esté lo suficientemente espesa para cubrir el revés de una cuchara. Integre el cebollín.

Pase a un tazón precalentado y sirva de inmediato.

 DELE UN GIRO El sabor ahumado acompaña muy bien a la dulzura natural del elote amarillo. En una sartén sobre fuego medio fría 3 rebanadas de tocino picado grueso alrededor de 7 minutos, hasta que esté crujiente y escurra sobre toallas de papel. Use la grasa del tocino en lugar de la mantequilla y espolvoree el tocino sobre los granos de elote justo antes de servir. O, si desea una versión ahumada y picante, agregue un chile chipotle adobado sin semillas y finamente picado y ½ cucharadita de la salsa de adobo con la crema.

El sabor de las berzas francamente es algo amargo, pero los cocineros del sur saben cómo domarlas. Pierden su amargura cuando hierven lentamente con tocino ahumado y ajo penetrante, y reviven con un chorrito de vinagre y una espolvoreada de hojuelas de chile rojo. Lo mejor de cocinar estas verduras verdes es sopear el líquido de cocción con una rebanada gruesa de pan de elote (página 186).

BERZA ESTOFADA CON TOCINO

Berza, 2 kg (4 lb)

Tocino ahumado en madera de manzano, 6 rebanadas gruesas, picado grueso

Aceite de canola, 1 cucharada

Ajo, 4 dientes, finamente picados

Hojuelas de chile rojo, ¼ cucharadita

Vinagre de sidra, 2 cucharadas más lo necesario para acompañar

Sal kosher

RINDE DE 6 A 8 PORCIONES

Recorte y deseche los tallos gruesos de las berzas. Trabajando en tandas, apile las hojas y corte transversalmente en tiras de aproximadamente 1 ¼ cm (½ in) de ancho. Llene el fregadero o un tazón grande con agua fría. Ponga las berzas en el agua y muévalas para que se desprenda toda la suciedad. Pase las berzas, con el agua que tengan en las hojas, a un tazón grande.

En una olla grande o en una sartén grande para fritura profunda sobre fuego medio, fría el tocino en el aceite cerca de 8 minutos, hasta que esté dorado y crujiente. Usando una cuchara ranurada pase el tocino a toallas de papel para escurrir. Retire la olla con la grasa del tocino del fuego y deje enfriar ligeramente.

Vuelva a poner la olla sobre fuego medio-bajo. Agregue el ajo y cocine cerca de un minuto, moviendo frecuentemente, hasta suavizar. Aumente el fuego a medio-alto. Añada un manojo de las verduras a la olla, tape y cocine hasta que se marchiten. Continúe agregando las verduras, un manojo a la vez y permitiendo que se marchiten antes de añadir el siguiente manojo, hasta que todas las berzas estén en la olla. Agregue las hojuelas de chile rojo, cubra, reduzca el fuego a medio-bajo y hierva lentamente cerca de 15 minutos, moviendo ocasionalmente si le gustan las verduras suaves pero todavía frescas, o hasta 45 minutos si le gustan bien cocidas.

Integre el tocino reservado y las 2 cucharadas de vinagre. Sazone con sal, pruebe y rectifique la sazón con hojuelas de chile rojo. Pase las verduras y el líquido de cocción a un tazón para servir precalentado. Sirva caliente acompañando a la mesa con el vinagre.

 DELE UN GIRO Otras verduras de hojas verdes como el diente de león, las hojas de mostaza y la col rizada se pueden cocinar de la misma manera, o puede usar una combinación de varias. En lugar de tocino, saltee el ajo en 2 cucharadas de aceite de oliva, entierre un hueso de jamón ahumado o un ala de pavo ahumado en las verduras y cocine cerca de 1 ½ hora para infundir las verduras con sabor ahumado. No se preocupe, pueden aguantar el calor.

Esta receta de macarrones con queso dista mucho de la versión que viene en una caja de color neón que quizás usted probó cuando era niño. Una vez que haya disfrutado un plato de esta versión hecha en casa, recién salida del horno burbujeando con sus deliciosos quesos y su corona amantequillada de migas de pan crujiente, le resultará difícil volver a preparar la que viene en caja.

MACARRONES CREMOSOS CON QUESO

Mantequilla sin sal,
7 cucharadas

Ajo, 1 diente, finamente
picado

Migas gruesas de pan
fresco, 1½ taza

Sal kosher y pimienta
recién molida

Codos de pasta, 500 g
(1 lb)

Harina de trigo simple,
¼ taza

Leche entera,
3 tazas, calientes

Queso cheddar fuerte,
2 tazas, rallado

Queso fontina,
2 tazas, rallado

Mostaza en polvo, ½
cucharadita

RINDE 6 PORCIONES

En una sartén grande sobre fuego medio-bajo derrita 3 cucharadas de la mantequilla. Agregue el ajo y cocine cerca de 3 minutos, moviendo frecuentemente, hasta suavizar pero sin dorar. Añada las migas de pan y mezcle hasta cubrir con la mantequilla. Reserve.

Precaliente el horno a 175°C (350°F). Engrase con mantequilla un refractario poco profundo con capacidad de 3 litros (3 qt).

Ponga agua ligeramente salada en una olla grande sobre fuego alto y lleve a ebullición. Agregue los coditos y mueva ocasionalmente hasta que el agua vuelva a hervir. Cocine siguiendo las instrucciones del paquete hasta que estén casi al dente. (La pasta va a volver a cocerse en el horno, por lo que no debe sobre cocinarla). Escurra perfectamente y reserve.

Agregue las 4 cucharadas restantes de mantequilla a la olla que usó para la pasta y derrita la mantequilla sobre fuego medio. Integre la harina batiendo con un batidor globo. Reduzca el fuego a medio-bajo y deje burbujear durante un minuto, sin dorar. Gradualmente integre la leche, batiendo, suba el fuego a medio y lleve a ebullición, batiendo frecuentemente. Cuando suelte el hervor retire del fuego, integre los quesos junto con la mostaza. Sazone con sal y pimienta. Integre la pasta. Extienda la pasta en el refractario preparado y espolvoree uniformemente con las migas de pan con mantequilla.

Hornee cerca de 20 minutos, hasta que el pan se dore y la salsa burbujee. Deje enfriar durante 5 minutos y sirva caliente.

 DELE UN GIRO Puede usar cualquier pasta tubular como el penne, ziti o *mostaccioli*. Para dar personalidad a sus macarrones con queso, agregue tocino crujiente picado, cubos de jamón ahumado o de pollo cocido, chícharos cocidos, brócoli blanqueado y picado, hongos silvestres salteados o queso azul desmoronado.

Puede hacer estas frituras doradas de granos de elote en cualquier época del año usando elotes congelados, pero son mejores si se espera hasta el verano cuando el elote de su localidad esté en temporada. Se puede usar cualquier variedad de elote, ya sea blanco o amarillo, normal o súper dulce. Sirva las frituras acompañando cualquier platillo, desde pescado a la parrilla hasta pollo frito.

FRITURAS DE ELOTE

Aceite de canola para fritura profunda

Harina de trigo simple, 1½ taza

Bicarbonato de sodio, ¾ cucharadita

Sal fina de mar, ¾ cucharadita

Pimienta recién molida, ¼ cucharadita

Granos de elote, 1½ taza (de aproximadamente 4 mazorcas)

Buttermilk o yogurt, 1 taza

Huevo grande, 1

Miel de maple para acompañar

RINDE
APROXIMADAMENTE 20
FRITURAS

Vierta aceite en una olla grande y gruesa hasta obtener una profundidad de por lo menos 7 ½ cm (3 in), caliente sobre fuego alto hasta que registre 185°C (375°F) en un termómetro para fritura profunda. Precaliente el horno a 100°C (200°F). Ponga una rejilla grande de metal sobre una charola para hornear con borde y coloque cerca de la estufa.

Mientras se calienta el aceite cierna la harina, bicarbonato de sodio, sal y pimienta sobre un tazón. En una licuadora mezcle ½ taza de los granos de elote con el buttermilk y el huevo; pulse hasta obtener una mezcla tersa. Vierta el puré en la mezcla de harina y mezcle hasta obtener una mezcla tersa. Integre la taza restante de los granos de elote usando movimiento envolvente.

Trabajando en tandas para no amontonar, agregue cucharadas de la mezcla al aceite caliente y fría en fritura profunda alrededor de 3 minutos, hasta dorar. Usando una espumadera de metal, pase a la rejilla y mantenga caliente dentro del horno mientras fríe las frituras restantes. Acompañe las frituras calientes con miel de maple.

 DELE UN GIRO Para dar un toque sabroso a las frituras agregue 2 cucharadas de cilantro fresco, finamente picado, a la mezcla y acompañe con rebanadas de limón en lugar de la miel de maple. O haga un aderezo picante para las frituras: En un tazón pequeño, mezcle 1 taza de yogurt simple, 1 diente de ajo finamente picado, 1 chile serrano finamente picado, la ralladura fina de ½ limón y sal al gusto.

Puede cocer la calabaza butternut al vapor sobre la estufa, pero el resultado no tiene punto de comparación con los trozos gruesos de calabaza que han sido asados en el horno hasta caramelizarse suavemente y ablandarse. Cuando se cubren de mantequilla tostada con sabor a nuez y salvia frita crujiente, le traen consigo imágenes del otoño. Esta suculenta calabaza es excelente para acompañar carne de puerco.

CALABAZA ASADA CON MANTEQUILLA TOSTADA Y SALVIA

Calabaza butternut,
1 (de aproximadamente 1
½ kg/3¼ lb)

Aceite de oliva, 1
cucharada

Sal kosher y pimienta
recién molida

Mantequilla sin sal,
2 cucharadas

Salvia fresca, 24 hojas

RINDE DE 6 A 8
PORCIONES

Precaliente el horno a 215°C (425°F). Usando un pelador de verduras resistente, retire la piel de la calabaza. Usando un cuchillo grande y filoso corte la calabaza transversalmente en donde la parte protuberante se encuentra con la parte más angosta y retire el punto de floración y el lado del tallo. Corte la parte protuberante verticalmente a la mitad, retire y deseche las semillas y las fibras. Corte toda la calabaza en trozos de 2 ½ cm (1 in). Extienda las piezas sobre una charola para hornear con borde. Rocíe con el aceite y mezcle con sus manos para cubrir. Sazone con sal y pimienta.

Hornee durante 15 minutos. Mezcle la calabaza y continúe asando en el horno de 10 a 15 minutos más, hasta que esté suave y dorada. Retire del horno.

En una sartén pequeña sobre fuego medio derrita la mantequilla hasta que la espuma disminuya. Agregue la salvia y cocine cerca de 30 segundos, justo hasta que la mantequilla se vuelva de color avellana claro y la salvia esté crujiente. Vierta inmediatamente la mantequilla tostada y la salvia sobre la calabaza en la charola para hornear y mezcle para cubrir. Pase a un tazón precalentado y sirva.

 DELE UN GIRO   Los tubérculos como las zanahorias, papas, pastinaca y nabos también son deliciosos preparados con mantequilla tostada y salvia. Córtelos en trozos de 2 ½ cm (1 in). Puede asarlos juntos en el horno, mezclando y combinando los tubérculos de su elección.

Cuando las hojas de los árboles se tornan de color naranja oscuro y empiezan a caerse, es el momento de guardar el asador y encender el horno.

Para mí, el día de Acción de Gracias es la fiesta primordial del otoño y siempre me pone en un dilema: ¿El menú deberá consistir en los platillos favoritos de siempre que mi abuela orgullosamente servía? ¿O debería arriesgarme con algunos platillos nuevos? Un año preparé calabaza butternut asada como acompañamiento que podría estar fácilmente justo en la línea media entre lo familiar y lo contemporáneo. Hice la versión básica cortando la calabaza en cubos y asándola en el horno solamente con un poco de aceite de oliva. Sabía bien pero era demasiado sencilla para una comida festiva. Tenía salvia fresca y mantequilla a la mano, así es que rápidamente preparé el toque final, friendo las hojas en la mantequilla tostada hasta que estuvieran crujientes. El resultado fue tan bueno ese día, que desde entonces la he servido para acompañar a mi pavo el día de fiesta.

Muchos aficionados a asar la carne en el asador, alegan que el menú completo debe incluir un tazón grande de ensalada fresca de col crujiente sobre la mesa. Desde luego, no hay nada mejor para acompañar un montón de sabrosas y picantes costillas asadas. Si no le gustan las ensaladas demasiado dulces, ésta es la indicada para usted. Obtiene su ligera dulzura de una fuente inesperada: la manzana rallada.

ENSALADA CREMOSA DE COL

Col verde,
1 pieza (de
aproximadamente 1kg/2
lb)

Apio, 2 tallos

Manzana Granny Smith, 1

Cebolla amarilla o morada,
1 pequeña

Zanahorias, 2 pequeñas,
sin piel

Vinagre de sidra,
2 cucharadas

Perejil liso fresco,
2 cucharadas, finamente
picado

Mayonesa (página 246 o
comprada), 1¼ taza

Sal kosher y pimienta
recién molida

RINDE DE 6 A 8
PORCIONES

Corte la col en rebanadas atravesando el lado del tallo y descorazone. Usando un procesador de alimentos o una batidora de mesa adaptada con el disco para rebanar delgado, rebane la col en tiras delgadas. Pase a un tazón grande. Rebane el apio con el disco de rebanar delgado e integre con la col.

Cambie el disco de rebanar delgado por el disco de rallar. Parta la manzana a la mitad y descorazone pero no le quite la piel. Corte la manzana y la cebolla en rebanadas. Ralle la manzana, cebolla y zanahoria e integre con la col y el apio.

Rocíe las verduras con el vinagre y mezcle para cubrir uniformemente. Agregue el perejil y la mayonesa; mezcle hasta integrar por completo. Sazone con sal y pimienta. Tape y refrigere por lo menos 2 horas, hasta enfriar. Pruebe y rectifique la sazón con más vinagre, sal y pimienta antes de servir. Sirva fría.

 DELE UN GIRO Si no tiene procesador de alimentos, puede preparar las verduras a mano con un cuchillo para chef y un rallador manual. Si prefiere una ensalada de col más dulce, integre un poco de azúcar hasta que el sabor le agrade. El pimiento rojo y el pepino, en rebanadas delgadas, también son una buena adición.

Este soufflé pertenece a la gran familia de reconfortantes platillos calientes con queso. Se hace con el sustancioso y ácido queso fresco de cabra (asegúrese de usar uno sin corteza) y se esponja hermosamente en el horno formando en el centro un pequeño "sombrero de copa". Sirva acompañando un cordero asado para un día festivo, o acompañe con una ensalada verde para una comida sencilla pero especial.

SOUFFLÉ DE QUESO

Queso parmesano,
3 cucharadas, recién rallado

Mantequilla sin sal,
2 cucharadas más 1 cucharadita

Ajo, 1 diente, finamente picado

Harina de trigo simple,
3 cucharadas

Leche entera,
1 taza, caliente

Queso fresco de cabra,
180 g (6 oz)

Tomillo fresco,
½ cucharadita, finamente picado

Sal fina de mar, ⅛ cucharadita

Pimienta recién molida,
¼ cucharadita

Huevos grandes,
4, separados, más 1 clara de huevo

RINDE 6 PORCIONES

Precaliente el horno a 185°C (375°F). Engrase ligeramente con mantequilla seis ramekins o refractarios individuales con capacidad de ¾ taza, espolvoree con el queso parmesano, incline para cubrir uniformemente con el queso y sacuda el exceso.

En una olla derrita las 2 cucharadas de mantequilla sobre fuego medio. Agregue el ajo, cocine cerca de un minuto, moviendo frecuentemente, hasta que aromatice pero no se dore. Integre la harina, batiendo. Reduzca el fuego a medio-bajo, deje burbujear durante un minuto, sin dorar. Integre gradualmente la leche batiendo con un batidor globo, suba el fuego a medio y lleve a ebullición, moviendo frecuentemente. Reduzca el fuego a medio-bajo y cocine cerca de 3 minutos, moviendo frecuentemente, hasta que esté muy espeso. Retire del fuego, desmorone el queso de cabra y agregue a la olla, bata hasta que se derrita. Integre el tomillo, sal y pimienta, batiendo. Corte la cucharadita de mantequilla en trozos pequeños y ponga sobre la mezcla de queso. (La mezcla de queso se puede preparar hasta con una hora de anticipación y cubrir herméticamente. Recaliente sobre fuego bajo, batiendo a menudo, antes de continuar).

En un tazón grande bata las yemas de los huevos hasta integrar. Gradualmente integre la mezcla del queso caliente con las yemas. En otro tazón, usando una batidora manual a velocidad alta, bata las 5 claras de huevo, hasta que se formen picos suaves. Integre aproximadamente una cuarta parte de las claras batidas con la mezcla de las yemas para aligerarla e incorpore las claras de huevo restantes usando movimiento envolvente sólo hasta mezclar. Divida la mezcla uniformemente entre los ramekins preparados, llenando tres cuartas partes de cada uno. Inserte un cuchillo untado con mantequilla en cada mezcla del soufflé y trace un círculo de aproximadamente 2 ½ cm (1 in) de profundidad a 6 mm (¼ in) de la orilla del ramekin. (Esto crea el "sombrero de copa").

Ponga los ramekins sobre una charola para hornear y hornee cerca de 20 minutos, hasta que las superficies estén abombadas y doradas y el soufflé tiemble ligeramente cuando lo mueva (los centros estarán ligeramente cuajados y quizás un poco suaves). Sirva de inmediato.

 DELE UN GIRO Diviértase experimentando con diferentes tipos de quesos y hierbas. Por ejemplo, sustituya el queso de cabra por una taza de queso cheddar fuerte o gruyère rallados. El romero es un buen sustituto del tomillo.

Los antiguos restaurantes italo-americanos invariablemente incluyen pan de ajo cargado de queso en sus menús, y los comensales habituales invariablemente lo piden, disfrutándolo junto a un plato enorme de spaghetti con albóndigas. Esta versión se engalana con hierbas frescas y queso gruyère para darle un giro más contemporáneo a este acompañamiento clásico.

PAN DE AJO CON QUESO

Mantequilla sin sal, 6 cucharadas, a temperatura ambiente

Ajo, 3 dientes, finamente picados

Queso parmesano, 3 cucharadas, recién rallado

Albahaca fresca, 1 cucharada, finamente picada

Cebollín fresco, 1 cucharada, finamente picado

Sal kosher, ¼ cucharadita

Pan italiano, 1 barra, rebanada longitudinalmente a la mitad

Queso gruyère, ¼ taza, rallado

Perejil liso fresco, 1½ cucharadas, finamente picado

RINDE DE 6 A 8 PORCIONES

Precaliente el horno a 225°C (450°F). Usando una espátula de hule, en un tazón pequeño presione la mantequilla, ajo, parmesano, albahaca, cebollín y sal hasta integrar por completo. Unte la mezcla sobre los lados cortados del pan dividiéndola uniformemente y espolvoree con el gruyère. Ponga las mitades de pan con los lados cortados hacia arriba sobre una charola para hornear con borde.

Hornee cerca de 10 minutos, hasta que las orillas del pan se tuesten y el queso se derrita y dore ligeramente. Espolvoree uniformemente con el perejil, corte transversalmente en rebanadas y sirva caliente.

DELE UN GIRO El ajo asado tiene un sabor dulce y suave y hace que el pan de ajo quede exquisito. Rebane una cabeza de ajo transversalmente a la mitad, rocíe las mitades con aceite de oliva, envuelva en papel de aluminio y coloque en un recipiente pequeño y poco profundo. Hornee en un horno precalentado a 200°C (400°F) cerca de 35 minutos, hasta que los dientes de ajo estén suaves y cremosos. Exprima los dientes de ajo, sacándolos de sus pieles apapeladas, sobre la mezcla de mantequilla en lugar del ajo crudo.

Aunque esta ensalada tiene mucha arúgula apimentada, lo que la hace destacar en la mesa es la interacción del pan tostado caliente, los piñones crujientes y la panceta ligeramente correosa. La vinagreta se hace especial salteando los chalotes, lo que ayuda a distribuir su sabor en toda la ensalada.

ENSALADA DE PAN

Pain ay levain o pan campestre ácido, 2 tazas, en cubos

Aceite de oliva, ½ taza más 3 cucharadas

Piñones, ⅓ taza

Panceta o tocino, 175 g (¼ lb), picado

Chalotes, 2 cucharadas, finamente picados

Vinagre de vino tinto, 2 cucharadas

Sal kosher y pimienta recién molida

Arúgula pequeña, 180 g (6 oz)

RINDE 4 PORCIONES

Precaliente el horno a 175°C (350°F). Extienda los cubos de pan sobre una charola para hornear con borde y rocíe con 2 cucharadas del aceite. Hornee cerca de 8 minutos, hasta que el pan esté tostado pero todavía ligeramente correoso. Deje enfriar.

En una sartén para freír sobre fuego medio-bajo tueste los piñones alrededor de 5 minutos, moviendo constantemente, hasta dorar. Retire de la sartén y reserve. En la misma sartén sobre fuego medio mezcle la panceta con una cucharada del aceite y cocine cerca de 8 minutos, moviendo ocasionalmente, hasta que la panceta esté dorada y crujiente. Usando una cuchara ranurada pase a toallas de papel para escurrir. Vierta la grasa de la sartén reservando una cucharada. Deje que la sartén se enfríe ligeramente.

Vuelva a poner la sartén sobre fuego medio, agregue los chalotes y cocine cerca de 2 minutos, moviendo frecuentemente, hasta suavizar. Pase a un tazón pequeño y deje enfriar. Agregue el vinagre a los chalotes fríos, y gradualmente integre la ½ taza de aceite de oliva, batiendo hasta integrar por completo para hacer la vinagreta. Sazone con sal y pimienta.

En un tazón grande para servir mezcle los cubos de pan tostado con la arúgula, piñones tostados y panceta. Agregue la vinagreta y mezcle para cubrir uniformemente. Sazone con sal y pimienta y sirva de inmediato.

 DELE UN GIRO Para preparar una ensalada de pan completamente diferente pero igual de deliciosa, sustituya los piñones por almendras rebanadas tostadas, la arúgula por berros y la panceta por gajos de naranja.

El pan de elote es tan fácil de hacer, y sabe tan rico con tantos platillos diferentes, que no hay pretexto para no hacerlo siempre que tenga ganas. Esta versión con un toque de chile jalapeño y motas de queso cheddar es más sustanciosa que las demás y es el acompañamiento perfecto para un gran tazón de chili con carne (página 118).

PAN DE ELOTE PICANTE

Harina de trigo simple, 1 taza

Cornmeal amarillo, de preferencia molido en molino de piedra o polenta, 1 taza

Azúcar, 2 cucharadas

Bicarbonato de sodio, ¾ cucharadita

Sal fina de mar, ½ cucharadita

Pimienta de cayena, ⅛ cucharadita

Crema ácida o yogurt simple, ⅔ taza

Leche entera, ⅔ taza

Huevos grandes, 2

Mantequilla sin sal, 6 cucharadas, derretida

Queso cheddar fuerte, ¾ taza, rallado

Granos de elote fresco o descongelado, ¾ taza

Chile jalapeño, 1, sin semillas, desvenado y finamente picado

RINDE 8 PORCIONES

Precaliente el horno a 200°C (400°F). Engrase con mantequilla una sartén para freír gruesa, de preferencia de hierro fundido, de 25 cm (10 in) que se pueda meter al horno o un molde grueso para pastel de 25 cm (10 in).

En un tazón grande bata con un batidor globo la harina, cornmeal, azúcar, bicarbonato de sodio, sal y pimienta de cayena. En otro tazón bata la crema, leche y huevos hasta integrar. Haga una fuente en el centro de la mezcla de la harina, vierta la mezcla de crema y la mantequilla derretida en el centro y mezcle sólo hasta integrar. No mezcle demasiado. Integre el queso cheddar, los granos de elote y el chile jalapeño usando movimiento envolvente.

Vierta la mezcla en la sartén y empareje la superficie. Hornee cerca de 20 minutos, hasta que el pan de elote se dore y que al insertar un cuchillo en el centro del pan, éste salga limpio. Deje enfriar en la sartén durante 5 minutos. Corte en rebanadas y sirva caliente o tibio.

 DELE UN GIRO Puede hacer mantecadas de pan de elote con esta misma receta: simplemente ponga la mezcla dentro de 12 moldes para mantecadas engrasados con mantequilla o cubiertos con capacillos de papel. Hornee cerca de 20 minutos. Si prefiere una versión más dulce y sencilla de pan de elote, omita el queso cheddar y el jalapeño y aumente el azúcar a ¼ taza.

Los cocineros sureños nunca desperdician una oportunidad para servir crujientes y sabrosos jitomates verdes fritos. (Son jitomates duros que no han madurado, no la variedad de jitomates heirloom de piel verde ya maduros ni los tomates verdes pequeños mexicanos). Son maravillosos para acompañar jamón horneado y son un desayuno delicioso cubiertos con tocino crujiente, especialmente si los fríe en la grasa del tocino.

JITOMATES VERDES FRITOS

Harina de trigo simple, ¾ taza

Sal kosher, 2 cucharaditas

Pimienta negra recién molida, ½ cucharadita

Pimienta de cayena, ⅛ cucharadita

Leche entera, 1 taza

Huevos grandes, 2

Cornmeal amarillo, de preferencia molido en molino de piedra, o polenta, 1 taza

Jitomates verdes (no maduros), 3 (de aproximadamente 196 g/7 oz cada uno)

Aceite de canola, 1 taza

Rémoulade (página 246) para acompañar

RINDE DE 6 A 8 PORCIONES

En un recipiente poco profundo mezcle la harina, sal, pimienta negra y pimienta de cayena. En un segundo recipiente poco profundo bata la leche con los huevos, hasta integrar. Extienda el cornmeal en un tercer recipiente poco profundo. Tenga lista una charola para hornear.

Descorazone los jitomates y corte transversalmente en rebanadas de aproximadamente 6 mm (¼ in) de grueso. Trabajando con una rebanada de jitomate a la vez, pase las rebanadas por la mezcla de harina para cubrir uniformemente, sacudiendo el exceso. Sumerja en la mezcla de huevo, retire dejando que el exceso caiga en el tazón y luego pase por el cornmeal, dando palmaditas para ayudar a que se adhiera. Pase a la charola para hornear.

Precaliente el horno a 100°C (200°F). Ponga una rejilla grande de metal en otra charola para hornear con borde y coloque cerca de la estufa. En una sartén grande sobre fuego medio-alto caliente el aceite hasta que brille. Trabajando en tandas para no amontonar, agregue las rebanadas de jitomate cubiertas al aceite caliente y cocine cerca de 2 minutos, hasta que la parte inferior esté dorada. Voltee las rebanadas y fría cerca de 2 minutos más, hasta que el otro lado esté dorado. Usando una espátula ranurada pase los jitomates a la rejilla y mantenga calientes en el horno mientras fríe los jitomates restantes. Sirva calientes acompañando a la mesa con la rémoulade.

 DELE UN GIRO En Nueva Orleans y demás estados del sur de los Estados Unidos, usted encontrará frecuentemente jitomates verdes fritos cubiertos con carne fresca de cangrejo. Acompañe con una cucharada de rémoulade o de alioli de limón (página 62).

Muchos de los platillos de comida reconfortante requieren de un puré de papas como acompañamiento, y usted querrá hacerlo bien. Eso significa que hay que usar las papas adecuadas, añadir mucha mantequilla dulce y calentar la leche para que no se enfríen las papas. Estos consejos hacen la diferencia entre un tazón de puré común y corriente y una obra de arte cremosa y esponjada.

PURÉ DE PAPA A LA MANTEQUILLA

Papas para hornear,
1 ½ kg (3 lb)

Sal kosher y pimienta
blanca recién molida

Mantequilla sin sal,
½ taza, a temperatura
ambiente, más la necesaria
para acompañar

Leche entera,
aproximadamente ½ taza,
caliente

Cebollín fresco,
3 cucharadas, finamente
picado

RINDE 6 PORCIONES

Retire la piel de las papas y corte en trozos. En una olla grande sobre fuego alto mezcle las papas con agua salada hasta que las cubra, tape la olla y lleve a ebullición. Cuando suelte el hervor destape, reduzca el fuego a medio-bajo y hierva lentamente cerca de 20 minutos, hasta que las papas se sientan suaves cuando se piquen con un cuchillo. Escurra perfectamente. Regrese las papas a la olla y mueva durante 2 minutos sobre fuego medio-bajo para evaporar el exceso de humedad.

Presione las papas calientes a través de un pasapurés colocado sobre un tazón grande. Corte la mantequilla en rebanadas y extienda sobre las papas. (Si no tiene pasapurés, bata las papas en la olla con ayuda de una batidora manual a velocidad alta. Continúe batiendo a velocidad alta, agregando leche conforme sea necesario para crear la textura deseada. Tenga cuidado de no batir demasiado las papas.)

Integre el cebollín y sazone al gusto con sal y pimienta. Pase a un tazón para servir precalentado y sirva de inmediato acompañando con más mantequilla, si lo desea.

 DELE UN GIRO Dele a su puré de papas una inyección de sabor agregando ajo asado. Rebane una cabeza de ajo transversalmente a la mitad, rocíe las mitades con aceite de oliva, envuélvalas en papel aluminio y coloque en una sartén pequeña y poco profunda. Hornee en un horno precalentado a 200°C (400°F) cerca de 35 minutos, hasta que los dientes de ajo estén suaves. Exprima los dientes de ajo, sacándolos de sus cáscaras apapeladas, sobre el puré de papas cuando agregue la leche y bata para integrar.

Los frijoles horneados han estado en el centro de las mesas americanas desde la época de la colonia y cuando están en su mejor punto son dulces y salados a la vez y suaves al morder, todo lo que incluye una comida reconfortante que nunca se pasa de moda. Para el sabor más tradicional, consiga miel de maple de grado B de Vermont, la cual presume de tener el mejor sabor acaramelado.

FRIJOLES HORNEADOS CON MIEL DE MAPLE

Frijoles Great Northern o cannellini, 500 g (1 lb) (aproximadamente 2 ¼ tazas)

Sal kosher, 2 cucharadas

Aceite de canola, 1 cucharada

Cebolla amarilla o blanca, 1 grande, picada

Miel pura de maple, 1 taza

Azúcar mascabado, ⅓ taza compacta

Mostaza en polvo, 1 cucharadita

Grasa de puerco salado o tocino, 350 g (¾ lb)

RINDE 8 PORCIONES

Enjuague los frijoles y límpielos desechando los defectuosos y las piedras pequeñas que tengan. En un tazón grande ponga los frijoles y agua hasta cubrir por 2 ½ cm (1 in). Deje reposar a temperatura ambiente por lo menos durante 4 horas o hasta por 12 horas. (Si hace calor, refrigere los frijoles mientras los remoja.)

Escurra los frijoles, pase a una olla grande y agregue agua hasta cubrir. Tape y lleve a ebullición sobre fuego alto. Ponga la tapa ligeramente abierta y cuando suelte el hervor reduzca el fuego a medio-bajo y hierva lentamente de 30 a 40 minutos, hasta que los frijoles estén ligeramente suaves. Agregue la sal durante los últimos 10 minutos de cocimiento.

Mientras tanto, en una sartén grande sobre fuego medio caliente el aceite. Agregue la cebolla y cocine cerca de 5 minutos, moviendo ocasionalmente, hasta suavizar. Reduzca el fuego a bajo y cocine cerca de 25 minutos, moviendo ocasionalmente, hasta que la cebolla esté muy suave y se ponga de color dorado oscuro. Retire del fuego.

Cuando los frijoles estén listos escurra en un colador reservando el líquido de cocción. Pase los frijoles a un tazón, Agregue la cebolla cocinada, miel de maple, azúcar mascabado y mostaza; mezcle para integrar.

Precaliente el horno a 165°C (325°F). Retire y deseche la corteza de puerco salado y rebane delgado. Cubra con una tercera parte del puerco salado la base de un refractario profundo con capacidad de 2 ½ a 3 litros (2 ½ qt – 3 qt) o de una olla grande de fierro con tapa. Agregue la mitad de los frijoles, luego la mitad restante del puerco salado. Cubra con los frijoles y el puerco restantes. Agregue la cantidad necesaria del líquido de cocimiento reservado para cubrir los frijoles. Tape y hornee durante 2 horas. Destape y continúe horneando durante 1 ½ hora más, hasta que el líquido de cocimiento se haya espesado hasta adquirir la consistencia de una miel brillante. Retire del horno y deje reposar durante 5 minutos. Sirva caliente.

 DELE UN GIRO Si no puede encontrar grasa de puerco salado use rebanadas gruesas de tocino, de preferencia ahumado en madera de manzano. O también puede insertar un hueso de jamón ahumado o un ala de pavo ahumado en los frijoles antes de hornearlos.

Los frijoles horneados, uno de los mejores ejemplos de la cocina de Nueva Inglaterra, deberán ser al mismo tiempo ligeramente salados, misteriosamente dulces y un poco ácidos.

Durante los fríos inviernos de Nueva Inglaterra, nuestros antepasados no tenían mucho para comer: algunos frijoles secos, un trozo de puerco salado, a lo mejor cebollas guardadas en la bodega y una vasija de melaza o miel de maple para endulzar. Seguramente mezclaron estos ingredientes de su escasa despensa por necesidad, pero el resultado ha sido un platillo básico favorito de la cocina americana. Para muchas familias, ningún asado en el asador del jardín o ninguna cena con jamón horneado es completa sin una olla grande de frijoles agridulces horneados en el menú. Mis parientes llevaron tres versiones diferentes de frijoles horneados a una reunión familiar y nadie se sorprendió cuando fueron los primeros acompañamientos del buffet que se acabaron.

Para muchos de nosotros es inconcebible comer jamón horneado sin acompañarlo con una cucharada grande de cremosas papas gratinadas. La mayoría de las recetas familiares de antaño usan una mezcla de queso cheddar y leche espesada con un poco de harina, pero esta versión actualizada la eleva a otro nivel con rica crema, queso gruyère con sabor a nuez y poros sumamente suaves.

PAPAS REBANADAS GRATINADAS

Mantequilla sin sal,
2 cucharadas

Poros, 3 tazas, solamente
las partes blancas y verdes
pálidas, picados

Sal kosher, 2 cucharaditas

Pimienta recién molida,
½ cucharadita

Papas para hornear,
1 ¾ kg (3 ¾ lb)

Queso gruyère,
2 tazas, rallado

Crema espesa, 3 tazas

RINDE 8 PORCIONES

Precaliente el horno a 175°C (350°F). Engrase generosamente con mantequilla un refractario de 23 x 32 cm (9 x 13 in).

En una sartén grande sobre fuego medio derrita la mantequilla. Agregue los poros y cocine cerca de 7 minutos, moviendo ocasionalmente, hasta suavizar. Retire del fuego.

Mezcle la sal y la pimienta. Retire la piel de las papas y corte en rodajas delgadas. Extienda una tercera parte de las papas en una capa uniforme en el refractario preparado y sazone con aproximadamente una cuarta parte de la mezcla de sal. Cubra con una tercera parte del queso gruyère y la mitad de los poros; sazone con aproximadamente una tercera parte de la mezcla restante de la sal. Cubra con la mitad de las rodajas de papa restantes, la mitad del queso gruyère restante y los poros restantes, sazonando con la mitad de la mezcla restante de sal mientras lo prepara. Termine con las papas y el gruyère restantes; sazone con la mezcla restante de sal.

En una olla pequeña sobre fuego medio-alto caliente la crema hasta que hierva lentamente. Vierta la crema caliente uniformemente sobre las papas. Tape herméticamente con papel aluminio y ponga el refractario sobre una charola para hornear con borde.

Hornee durante una hora. Retire el papel aluminio y continúe horneando cerca de 30 minutos más, hasta que las papas estén suaves, cubiertas con la salsa cremosa y doradas en la superficie. Deje reposar cerca de 5 minutos y sirva caliente.

 DELE UN GIRO Para preparar la clásica versión americana de papas gratinadas omita los poros, sustituya el queso gruyère por queso cheddar blanco fuerte y la crema por leche entera. A medida que vaya extendiendo las papas, espolvoree cada capa con una cucharada de harina de trigo simple, para usar 3 cucharadas de harina en total.

California es el territorio de las alcachofas y muchos californianos las hierven para comerlas acompañadas de mucha mantequilla derretida o mayonesa en un tazón para sopear. Pero los italo-americanos insisten en que las alcachofas rellenas, con un relleno hecho a base de migas de pan, piñones y ajo, es la mejor manera de realzar estos miembros de la familia de los cardos.

ALCACHOFAS RELLENAS

Limón amarillo, 1, partido transversalmente a la mitad

Alcachofas, 4 (de aproximadamente 250 g/9 oz cada una), con sus tallos

Aceite de oliva, 6 cucharadas

Migas gruesas de pan fresco, 2 tazas

Piñones, ⅓ taza, tostados

Perejil liso fresco, 2 cucharadas, finamente picado

Ajo, 3 dientes, finamente picados

Orégano seco, ½ cucharadita

Sal kosher y pimienta recién molida

Mayonesa (página 246 o comprada) para acompañar

RINDE 4 PORCIONES

Exprima el jugo de medio limón amarillo en un tazón, agregue 6 tazas de agua fría y añada la mitad del limón exprimido. Corte el tallo de cada alcachofa justo en la base. Frote las partes cortadas con la mitad de limón restante. Usando un cuchillo pequeño recorte la piel gruesa de cada tallo. Frote los tallos sin piel con la mitad del limón y corte en cubos.

En una sartén ponga una cucharada del aceite de oliva y caliente sobre fuego medio. Agregue los tallos picados y ¼ taza de agua; reduzca el fuego a medio-bajo, tape y cocine de 8 a 10 minutos, hasta que los tallos estén suaves y el agua se haya evaporado. Deje enfriar ligeramente.

Mientras tanto, corte 2 ½ cm (1 in) de la parte superior de cada alcachofa. Usando unas tijeras de cocina recorte las puntas espinosas que queden en las hojas. Frote las áreas cortadas con la mitad del limón. Trabajando con una a la vez, ponga las alcachofas de cabeza sobre una superficie de trabajo. Presione fuerte sobre la parte inferior de las alcachofas con la palma de la mano para aflojar las hojas y forzarlas a separarse para que quepa el relleno.

En un tazón mezcle las migas de pan con los tallos cocidos, piñones, perejil, ajo y orégano. Integre 2 cucharadas del aceite de oliva. Sazone con sal y pimienta. Usando una cuarta parte de la mezcla de pan para cada alcachofa, coloque la mezcla entre las capas exteriores de hojas gruesas. Deje las hojas delgadas de adentro intactas.

Vierta una cucharada del aceite de oliva en una olla lo suficientemente grande para que quepan las alcachofas paradas en una sola capa, e incline la olla para cubrir el fondo. Acomode las alcachofas rellenas, con la base hacia abajo, en la olla y rocíe con las 2 cucharadas restantes de aceite de oliva. Agregue el agua necesaria para que cubra 2 ½ cm (½ in) de los lados de las alcachofas sin sumergir el relleno. Lleve a ebullición sobre fuego alto. Cuando suelte el hervor reduzca el fuego a medio-bajo, tape y hierva lentamente cerca de una hora, agregando más agua hirviendo a la olla si fuera necesario para mantener el nivel, hasta que pueda jalar fácilmente una hoja de la alcachofa.

Mientras tanto, precaliente el horno a 200°C (400°F). Engrase ligeramente con aceite una charola para hornear con borde. Cuando las alcachofas estén listas, usando unas pinzas, póngalas cuidadosamente en la charola para hornear, acomodándolas con la base hacia abajo. Hornee cerca de 15 minutos, hasta que el relleno esté ligeramente dorado. Pase cada alcachofa a un tazón individual y acompañe con la mayonesa.

Los chiles jalapeños rellenos pueden ser un éxito o un fracaso. La mayoría de la gente los conoce como una comida popular del bar y solamente los come en casa si compró un paquete congelado en el supermercado. Pero estos bocadillos crujientes, picantes y llenos de queso ahumado son gloriosos cuando los hace uno mismo. Asegúrese de tener una cerveza fría a la mano para quitarse el picor.

JALAPEÑOS RELLENOS

Tocino ahumado en madera de manzano, 2 rebanadas gruesas, finamente picado

Chiles jalapeños, 12 pequeños

Queso crema, 120 g (4 oz), a temperatura ambiente

Queso cheddar fuerte, ½ taza, finamente rallado

Queso Monterey Jack o manchego, ½ taza, finamente rallado

Salsa de chile picante, 1 cucharadita

Sal kosher y pimienta recién molida

Huevos grandes, 2

Leche entera, 1 cucharada

Migas finas de pan simple seco o panko, 1 taza

Aceite vegetal para freír

RINDE 6 PORCIONES

En una sartén sobre fuego medio fría el tocino cerca de 5 minutos, moviendo ocasionalmente, hasta que esté dorado y crujiente. Pase a toallas de papel para escurrir.

Usando la punta de un cuchillo pequeño haga una rajada a lo largo de cada chile, desde el tallo hasta la punta, luego haga un corte parcial en la base del tallo, dejando el tallo intacto. Con cuidado abra el chile y retire las semillas con ayuda del cuchillo o una cuchara pequeña. (Si no está acostumbrado a trabajar con chiles, use guantes.)

En un tazón pequeño mezcle el tocino con el queso crema, cheddar, monterey jack y salsa picante hasta integrar por completo. Sazone al gusto con sal y pimienta. Usando una cuchara pequeña rellene los chiles con la mezcla de los quesos, dividiéndola uniformemente. Cierre los chiles rellenos, presionando firmemente en las uniones para que mantengan su forma.

En un tazón poco profundo bata los huevos y la leche con un batidor globo. En un segundo tazón poco profundo, mezcle las migas de pan con una pizca de sal y otra de pimienta. Trabajando con un chile a la vez, sumérjalos en la mezcla de huevo, retírelos permitiendo que el exceso escurra hacia el tazón, luego pase por el pan molido, dando palmaditas suaves para ayudar a que se adhiera. Pase a una charola para hornear. Deje secar cerca de 10 minutos y repita la operación sumergiendo los chiles primero en la mezcla de huevo y luego pasando por las migas de pan para cubrir con una segunda capa.

Vierta aceite en una olla gruesa hasta obtener una profundidad de por lo menos 7 ½ cm (3 in) y caliente sobre fuego medio-alto hasta que registre 165°C (325°F) en un termómetro para fritura profunda. Precaliente el horno a 100°C (200°F). Forre una charola para hornear con borde con toallas de papel.

Trabajando en tandas para no amontonar, agregue los chiles al aceite caliente, fría en fritura profunda cerca de 6 minutos, moviendo ocasionalmente con una espumadera de metal, hasta dorar. Usando una espumadera, pase a toallas de papel para escurrir y mantener calientes en el horno mientras fríe los chiles restantes. Sirva calientes.

 DELE UN GIRO Los chiles también se pueden rellenar con una simple combinación de quesos Cheddar y Monterey Jack, omitiendo el queso crema y el tocino. Para un toque especial, puede usar salsa tai de chile dulce para sopear.

Un platón grande de huevos endiablados con un esponjoso relleno cremoso jaspeado de hierbas puede completar innumerables menús de comida reconfortante, desde las comidas ligeras hasta las cenas o días de campo, reuniones o comidas en el jardín. Use mayonesa hecha en casa para preparar el relleno y sus huevos endiablados serán famosos entre familiares y amigos.

HUEVOS ENDIABLADOS

Huevos grandes, 8

Mayonesa (página 246 o comprada), ⅓ taza

Cebollín fresco, 1 cucharadita, finamente picado, más lo necesario para adornar

Estragón fresco, 1 cucharadita, finamente picado, más lo necesario para adornar

Perejil liso fresco, 1 cucharadita, finamente picado, más lo necesario para adornar

Ralladura fina de limón amarillo, de 1 limón

Sal kosher y pimienta recién molida

RINDE 16 HUEVOS ENDIABLADOS

Para cocer los huevos duros, póngalos en una olla lo suficientemente grande para darles cabida. Agregue agua fría hasta cubrir por 2 ½ cm (1 in) y deje hervir sobre fuego alto. Retire la olla del fuego y tape. Deje reposar durante 15 minutos. Escurra los huevos y pase a un tazón con agua y hielos para dejar enfriar por completo.

Retire el cascarón de los huevos. Usando un chuchillo filoso y delgado corte cada huevo longitudinalmente a la mitad. Retire las yemas y reserve las mitades de las claras. Pase las yemas a través de un colador de malla gruesa colocado sobre un tazón. Agregue la mayonesa, cebollín, estragón, perejil y ralladura de limón; bata con un batidor globo, hasta que estén ligeros y esponjados. Sazone con sal y pimienta y bata una vez más.

Usando una cuchara pase la mezcla de las yemas a una manga de repostería adaptada con una punta mediana simple. Acomode en un platón las mitades de los huevos, poniendo el lado hueco hacia arriba. Usando la manga para repostería llene el hueco de las mitades de clara con la mezcla de las yemas. (También puede usar una cucharita para llenar las mitades de los huevos.) Cubra ligeramente con plástico adherente, refrigere cerca de una hora, hasta enfriar. (Los huevos se pueden refrigerar hasta por 8 horas antes de servir.)

Espolvoree con las hierbas adicionales y sirva fríos.

 DELE UN GIRO Para una versión endiabladamente picante, omita las hierbas y la ralladura de limón amarillo. Integre ½ chile chipotle en adobo, finamente picado, en las yemas de huevo hechas puré. O puede hacerlo clásico agregando pepinillos finamente picados y una cucharadita de mostaza amarilla en lugar de las hierbas y la ralladura de limón.

Hoy en día, la ensalada de papa parece llegar con toda clase de "nuevos" ingredientes, los cuales pueden ser sabrosos, pero simplemente no evocan el platillo simple que usted recuerda. Para aquellos de ustedes que piensan que la manera antigua es a menudo la mejor, aquí presentamos una receta que hace que casi todos recuerden los días de campo familiares y la ensalada de papas de la abuela.

ENSALADA DE PAPA TRADICIONAL

**Papas con piel roja,
1 ½ kg (3 lb)**

**Sal kosher y pimienta
recién molida**

**Vinagre de vino blanco,
3 cucharadas**

**Mayonesa (página 246 o
comprada), 1 taza**

**Mostaza de grano entero
(antigua),
2 cucharadas**

**Apio, 4 tallos, partido en
cubos pequeños**

**Cebollitas de cambray,
4, las partes blancas y
verdes, picadas**

**Perejil liso fresco,
2 cucharadas, finamente
picado**

RINDE 8 PORCIONES

Ponga las papas sin pelar en una olla grande sobre fuego alto, agregue agua salada hasta cubrir por 2 ½ cm (1 in), tape y lleve a ebullición. Ponga la tapa entreabierta y cuando suelte el hervor reduzca el fuego a medio-bajo y cocine en un hervor intenso cerca de 25 minutos, hasta que las papas estén suaves. Escurra y enjuague las papas bajo el chorro de agua fría, hasta que estén lo suficientemente frías para poder tocarlas.

Corte las papas en trozos de 1 ¼ cm (½ in) de grueso y ponga en un tazón grande. Rocíe con el vinagre. Deje enfriar completamente.

En un tazón pequeño mezcle la mayonesa con la mostaza. Agregue las papas junto con el apio, cebollitas de cambray y perejil; mezcle ligeramente. Sazone con sal y pimienta. Tape y refrigere por lo menos durante 2 horas hasta enfriar. Sirva fría.

 DELE UN GIRO Si quiere poner huevos duros en su ensalada de papa, por supuesto agréguelos. Lo mismo ocurre con los pepinillos en vinagre al eneldo o pepinillos simples picados, incluso puede usar el jugo de los pepinillos en lugar del vinagre. También puede usar papas para hornear en lugar de las papas rojas. Se desbaratan más fácilmente, pero hay a quien eso le gusta.

ALGO DULCE

Yo provengo de una familia de reposteros. Mi madre es nuestra pastelera estrella de pays y cuando mis tías abuelas llegaron de Europa se fueron a trabajar en cocinas, en donde aprendieron a preparar las clásicas recetas americanas. De niño siempre podía elegir qué tipo de pastel quería tener para mi cumpleaños y con todos estos reposteros a mi alrededor, optaba cada año por algo diferente, por un rico pastel de chocolate devil's food, uno de coco cremoso o uno hecho con capas de limón. Mis hermanos optaban por un camino diferente y elegían o pay de merengue de limón o crema de plátano en vez de pastel para sus fiestas. Para poder recrear estos pasteles favoritos y otros suculentos postres, pasé muchas horas en la cocina. El resultado es un tesoro oculto de postres de éxito seguro: brownies de chocolate, panqués apilados con fresas y crema, pudines con exquisitas capas de caramelo y galletas chiclosas con chispas de chocolate. Todos esos postres están aquí, esperando para disfrutarse junto a un vaso grande de leche bien fría.

Hay galletas de chispas de chocolate y también hay estas galletas con chispas de chocolate: grandes, chiclosas, amantequilladas y con la exacta cantidad de chipas de chocolate y nuez. Utilice un chocolate de muy buena calidad para obtener el mejor resultado. Almacene estas joyas en un recipiente hermético a temperatura ambiente hasta por 5 días, aunque no sobrevivirán tanto tiempo.

GALLETAS CON CHISPAS DE CHOCOLATE

Nueces en trozos, 1 taza

Harina de trigo, 2¼ tazas

Bicarbonato de sodio, 1 cucharadita

Sal kosher, 1 cucharadita

Mantequilla sin sal, 1 taza, a temperatura ambiente

Azúcar granulada, ⅔ taza

Azúcar mascabado claro, ⅔ taza compacta

Huevo grande, 1 entero más 1 yema

Miel de maíz clara o miel de maple, 2 cucharadas

Extracto puro de vainilla, 2 cucharaditas

Chocolate semiamargo, 340 g (12 oz), en trozos de 1 ¼ cm (½ in)

RINDE APROXIMADAMENTE 3 DOCENAS DE GALLETAS

Precaliente el horno a 175°C (350°F). Extienda las nueces en una sola capa sobre una charola para hornear con bordes. Coloque en el horno y tueste cerca de 10 minutos, moviendo ocasionalmente, hasta que aromaticen y se tuesten. Deje enfriar y pique toscamente.

En un tazón mezcle la harina, bicarbonato y sal. En otro tazón, utilizando una batidora eléctrica manual a velocidad media-alta, bata la mantequilla con los azúcares cerca de 3 minutos, hasta que la mezcla tenga una textura ligera. Incorpore, batiendo, el huevo entero y la yema, luego la miel y la vainilla. Reduzca la velocidad a baja y gradualmente añada la mezcla de harina, batiendo sólo hasta obtener una mezcla tersa y bajando la pasta de las orillas del tazón con ayuda de una espátula. Usando una cuchara incorpore el chocolate y las nueces picadas, distribuyéndolos uniformemente entre la masa. Tape y refrigere por lo menos durante 2 horas o hasta por más de 6 horas, hasta enfriar.

Coloque las rejillas del horno en el centro y tercio superior y precaliéntelo a 175°C (350°F). Cubra con papel encerado 2 charolas para hornear con borde. Usando una cuchara vierta porciones redondas de la masa fría sobre las charolas, dejando un espacio de aproximadamente 2 ½ cm (1 in) entre ellas.

Coloque una charola sobre cada rejilla y hornee de 8 a 10 minutos, cambiando de posición y rotándolas 180 grados a la mitad del horneado, hasta que las galletas estén ligeramente doradas. Deje enfriar durante 3 minutos en las charolas y pase a una rejilla de metal para enfriar ligeramente antes de servir.

 DELE UN GIRO Si quiere preparar galletas de chocolate de leche o blanco, utilice chispas de chocolate en vez de tablillas ya que mantienen mejor su forma al hornearse. También puede preparar galletas con una mezcla de chispas de chocolate semiamargo, blanco y de leche. Experimente usando almendras o cacahuates en vez de las nueces.

Usted tendrá recuerdos de cuando encontraba en su lonchera pequeñas empanadas de fruta empacadas individualmente. Y aunque cada quien tiene su relleno favorito, seguramente las moras azules están en un lugar privilegiado en casi todas las listas. Asegúrese de tener bastantes servilletas de papel listas, ya que como parte de su atractivo está el delicioso jugo que correrá por sus manos.

EMPANADAS DE MORAS AZULES

Moras azules, 2 tazas

Azúcar granulada, ¼ taza más 1 cucharada

Jugo de limón amarillo fresco, 1 cucharada

Fécula de maíz, 2 cucharaditas

Masa quebrada para corteza doble (página 248)

Huevo grande, 1

RINDE 6 EMPANADAS

En una olla sobre fuego medio mezcle 1 ½ taza de moras azules con ¼ taza de azúcar y el jugo de limón; cocine, moviendo continuamente, hasta que las moras empiecen a soltar su jugo. Baje el fuego a medio-bajo y deje hervir lentamente cerca de 5 minutos, moviendo de vez en cuando, hasta que todas las moras estén rotas.

Mientras tanto, en un tazón pequeño mezcle la fécula con 2 cucharadas de agua. Agregue la mezcla de fécula a la mezcla de moras y cocine hasta que los jugos empiecen a hervir y espesar. Retire del fuego y añada la ½ taza restante de moras. Coloque la olla en un tazón con agua y hielos y deje que la mezcla se enfríe, moviendo continuamente.

Precaliente el horno a 190°C (375°F). Tenga lista una charola de horno sin engrasar con bordes. Coloque la masa sin envolver sobre una superficie de trabajo enharinada y espolvoree con harina (si la masa refrigerada está muy dura, deje reposar a temperatura ambiente por varios minutos hasta que empiece a suavizarse antes de extender). Extienda con ayuda de un rodillo para formar un rectángulo de 50 x 33 cm (20 x 13 in) y de 3 mm (1/8 de in) de grueso. Utilizando un plato de 15 cm (6 in) como molde, use un cuchillo mondador para cortar 6 círculos. Coloque 3 cucharadas del relleno de moras en el centro de cada círculo dejando un margen de 1 cm (½ in) sin cubrir. Doble la masa de manera que las orillas se junten y presione las orillas con un tenedor. Pase a la charola para hornear. Repita la operación con los círculos de masa y el relleno restantes. Refrigere las empanadas durante 15 minutos.

En un tazón bata el huevo con una cucharadita de agua para hacer un betún de huevo. Barnice ligeramente las empanadas con el betún de huevo, corte una X sobre cada empanada y espolvoree con la cucharada restante de azúcar. Hornee cerca de 20 minutos, hasta que las empanadas estén doradas. Deje que las empanadas se enfríen en la charola colocándola sobre una rejilla de metal y sirva tibias o a temperatura ambiente.

 DELE UN GIRO Para hacer un sencillo glaseado, cierna una taza de azúcar glass sobre un tazón e integre con 1 ó 2 cucharadas de agua, batiendo hasta que la mezcla tenga la consistencia de un glaseado delgado. Barnice el glaseado sobre las empanadas frías, deje secar durante varios minutos antes de servir.

Comerse una mantecada hace que aparezca el niño interior que todos tenemos dentro. Es como tener nuestro propio pastel miniatura que no tenemos que compartir con nadie. Cubiertas con una capa gruesa de delicioso betún de queso crema y espolvoreadas con coco tostado, estas mantecadas de coco tienen una miga suave y húmeda que literalmente se derrite en su boca.

MANTECADAS DE COCO CON BETÚN DE QUESO CREMA

MANTECADAS DE COCO

Harina de trigo, 1¾ taza

Polvo para hornear, 2 cucharaditas

Sal fina de mar, ¼ cucharadita

Azúcar granulada, 1 taza

Mantequilla sin sal, ½ taza, a temperatura ambiente

Huevos grandes, 3, separados

Extracto de vainilla, 1 cucharadita

Leche de coco, ½ taza

Hojuelas de coco seco sin endulzar, 1 taza

BETÚN DE QUESO CREMA

Hojuelas de coco seco sin endulzar, ½ taza

Queso crema, 170 g (6 oz), a temperatura ambiente

Mantequillas sin sal, 4 cucharadas, a temperatura ambiente

Jugo de limón amarillo, 2 cucharaditas

Extracto de vainilla, ½ cucharadita

Azúcar glass, 3 tazas, cernida

RINDE 12 MANTECADAS

Para hacer las mantecadas precaliente el horno a 175°C (350°F). Cubra una charola para mantecadas con 12 capacillos de papel. En un tazón cierna la harina con el polvo para hornear y sal. En otro tazón, usando una batidora manual a velocidad media-alta, bata el azúcar con la mantequilla de 2 a 3 minutos, hasta obtener una mezcla de textura ligera. Incorpore las yemas, una a la vez, batiendo, y añada la vainilla, batiendo. Reduzca la velocidad a baja y agregue la mezcla de harina en 3 tandas, alternando con la leche de coco en 2 tandas, empezando y terminando con la mezcla de harina y bajando la pasta que quede en las orillas del tazón cuando sea necesario. Bata hasta obtener una mezcla tersa.

En otro tazón, utilizando la batidora a velocidad alta, bata las claras de huevo hasta que se formen picos suaves. Incorpore una cuarta parte de las claras con la pasta para aligerarla, después incorpore las claras restantes usando movimiento envolvente y dejando algunos claras visibles. Con cuidado integre las hojuelas de coco, usando movimiento envolvente. Divida la pasta uniformemente entre los moldes cubiertos por capacillos, llenándolos en tres cuartas partes de su capacidad. Hornee cerca de 20 minutos, hasta que un palillo insertado en el centro de una mantecada salga limpio. Deje enfriar durante 5 minutos en la charola. Desmolde, coloque sobre una rejilla de metal y deje enfriar por completo. Deje el horno encendido.

Para preparar el betún, extienda las hojuelas de coco sobre una charola para hornear con bordes. Hornee cerca de 10 minutos, moviendo ocasionalmente, hasta que estén ligeramente tostadas. Deje enfriar completamente. En un tazón, usando una batidora eléctrica a velocidad baja, bata el queso crema con la mantequilla, jugo de limón y vainilla. Gradualmente integre el azúcar glass, batiendo hasta obtener un betún terso. Unte el betún sobre las mantecadas frías, dividiéndolo uniformemente. Espolvoree con el coco tostado y sirva.

DELE UN GIRO Para hacer un pastel de coco en capas, divida la pasta entre 2 moldes redondos de 20 cm (8 in) de diámetro, engrasados y enharinados. Hornee cerca de 25 minutos, hasta que los pasteles se separen de las orillas. Haga una ración doble del betún y arme el pastel como se indica en el Pastel de Chocolate Devil's Food (página 226). Decore con una taza de hojuelas de coco tostadas.

Las mantecadas pueden ser pequeñas pero nunca les faltará sabor, especialmente cuando son coronadas con una espiral gruesa de betún dulce.

No es de sorprenderse que las mantecadas hayan regresado. Para los de mi generación estos postres pequeños nos traen felices memorias de fiestas de cumpleaños de la infancia. Recuerdo el escándalo en los cuartos del vecindario llenos de globos, juegos emocionantes como ponga la cola al burro y, por supuesto, grandes platones con mantecadas de cumpleaños. Las mantecadas de coco siempre han estado entre mis favoritas. Recuerdo a mi madre tostando con cuidado las hojuelas de coco hasta dorarlas ligeramente y no dejarlas demasiado tostadas. Para los cumpleaños de las niñas, las mamás de mi colonia se saltaban el paso de tostar las hojuelas de coco y las pintaban en tonos pastel. Tostado o no, a mí no me importaba. Yo veía las mantecadas como un depósito del betún, el cual lamía con cuidado antes de pensar en el pastel de abajo. Por lo que, ¡por favor, no escatime en el betún!

Usted podría pensar que sólo necesita fresas frescas, helado de vainilla de la mejor calidad y leche entera cremosa para preparar un excelente licuado de leche con fresas. Pero, para obtener el mejor licuado de fresas se necesita realzar su sabor y la mermelada de fresa hace el truco. Para preparar un clásico agasajo de fuente de sodas no hay nada mejor que un tradicional licuado de fresa.

LICUADO DE LECHE CON FRESAS

Leche entera,
⅓ taza o la necesaria

Mermelada de fresa,
¼ taza

Fresas,
1½ taza, rebanadas

Helado de vainilla,
2½ tazas

**Crema batida, (página
248)**

RINDE 2 PORCIONES

Coloque en la licuadora en el siguiente orden: ⅓ taza de leche, mermelada de fresa, fresas y helado. Tape y licue hasta obtener una mezcla tersa, añadiendo más leche si fuera necesario para lograr la consistencia deseada.

Vierta en 2 vasos altos fríos, cubra el licuado con una cucharada de crema batida e inserte un popote alto; sirva de inmediato.

 DELE UN GIRO Otros sabores de fruta como el plátano y el durazno también hacen unos licuados deliciosos. Para preparar un licuado de plátano, omita la mermelada y utilice 2 tazas de plátano rebanado. Para preparar un licuado de durazno, sustituya la mermelada de fresa por mermelada de durazno y las fresas por 1 ½ taza de duraznos sin piel, sin hueso y rebanados.

MALTEADA DE VAINILLA

Leche entera,
⅓ taza o la necesaria

Extracto puro de vainilla,
1 cucharadita

Polvo para malteada,
2 cucharadas

Helado de vainilla,
2½ tazas

**Crema batida (página
248)**

RINDE 2 PORCIONES

Coloque en la licuadora en el siguiente orden: ⅓ taza de leche, extracto de vainilla, polvo para malteada y helado. Tape y licue hasta obtener una mezcla tersa, añadiendo más leche si fuera necesario para lograr la consistencia deseada.

Vierta en 2 vasos altos fríos, cubra la malteada con una cucharada de crema batida e inserte un popote alto y sirva de inmediato.

 DELE UN GIRO Usted puede cambiar fácilmente esta receta para hacer malteada de chocolate. En vez de usar helado de vainilla, utilice Helado de Doble Chocolate (página opuesta) o su helado de chocolate favorito.

Sustancioso, denso y lento en derretir, este helado es suave y bastante cremoso para darle gusto a los niños, y lo suficientemente chocolatoso y oscuro para seducir a los mayores. Su sabor profundo proviene de usar como base tanto cocoa en polvo (use la natural, no la holandesa procesada) como chocolate amargo. Utilice el mejor chocolate que pueda comprar y no se arrepentirá.

HELADO DE DOBLE CHOCOLATE

Leche entera, 1½ taza

Crema espesa, 1½ taza

Chocolate semiamago, 170 g (6 oz), toscamente picado

Yemas de huevo grandes, 4

Azúcar, ½ taza

Cocoa en polvo sin endulzar, 2 cucharadas

Sal kosher

Extracto puro de vainilla, 2 cucharaditas

RINDE APROXIMADAMENTE 1 LITRO (1 QT) DE HELADO

En una olla de fondo grueso mezcle la leche con una taza de crema y caliente sobre fuego medio cerca de 5 minutos, sólo hasta que la mezcla empiece a hervir lentamente.

Mientras tanto, coloque el chocolate picado en un tazón refractario. En otro tazón refractario bata las yemas de huevo con el azúcar, cocoa, una pizca de sal y ½ taza de crema, hasta que el azúcar se empiece a disolver.

Retire la olla del fuego. Gradualmente vierta ½ taza de la mezcla de leche caliente sobre la mezcla de las yemas y bata hasta integrar por completo, vierta la mezcla de huevo en la olla. Cocine sobre fuego medio de 4 a 6 minutos, mezclando constantemente con una cuchara de madera, hasta que la mezcla esté lo suficientemente espesa para cubrir el revés de una cuchara y se dibuje un camino claro al pasar un dedo sobre ella. No permita que hierva. Vierta la mezcla de leche y huevo sobre el chocolate y mezcle hasta que el chocolate se derrita y la mezcla esté tersa. Cuele a través de un colador de malla fina colocado sobre un tazón. Incorpore la vainilla. Coloque el tazón sobre un tazón con agua con hielo y mezcle ocasionalmente hasta enfriar. Cubra con plástico adherente y refrigere por lo menos 3 horas o hasta por 24 horas, hasta enfriar.

Vierta la base de helado fría en una máquina para hacer helado y congele siguiendo las instrucciones del fabricante. Pase el helado a un recipiente hermético especial para congelar alimentos. Presione un trozo de plástico adherente directamente sobre la superficie del helado, tape y congele por lo menos durante 3 horas, hasta que esté firme, o hasta por 3 días antes de servir.

 DELE UN GIRO La naranja combina muy bien con el chocolate. Añada 2 cucharaditas de ralladura fina de naranja a la mezcla de la leche y crema mientras se calienta (la ralladura después se colará). El expresso también es un buen compañero. Sustituya la ½ taza de leche por ½ taza de expresso recién preparado.

Si usted siempre ha utilizado la receta de atrás de una caja de harina preparada para brownies o de la lata de cocoa para hornear brownies, se sorprenderá con esta receta. Estos brownies densos, chiclosos y de rico chocolate amargo son irresistibles. Usted obtendrá un gran refractario de brownies, lo cual significa que usted podrá regalar a sus amigos y vecinos.

BROWNIES DE CHOCOLATE AMARGO

Harina de trigo, 1 taza

Bicarbonato de sodio, ½ cucharadita

Sal fina de mar, ½ cucharadita

Mantequilla sin sal, ¾ taza

Chocolate amargo, 170 g (6 oz), finamente picado

Azúcar granulada, 1 taza

Azúcar mascabado claro, 1 taza compacta

Huevos grandes, 4, a temperatura ambiente

Miel de maíz clara, miel de abeja o miel de maple, ¼ taza

Extracto puro de vainilla, 2 cucharaditas

Chispas de chocolate semiamargo o amargo, 1 taza

RINDE 20 BROWNIES

Precaliente el horno a 170°C (350°F). Engrase con mantequilla un molde para hornear de 22 x 33 cm (9 x 13 in). Forre el fondo y las orillas con una hoja de papel encerado de 50 cm (20 in), doblando el papel lo necesario y permitiendo que el exceso caiga sobre las orillas. Engrase ligeramente con mantequilla y espolvoree con harina, golpeando ligeramente para retirar el exceso.

En un tazón cierna la harina con el bicarbonato y la sal. En una olla sobre fuego medio derrita la mantequilla. Retire del fuego y agregue el chocolate. Deje reposar durante 3 minutos y bata con un batidor globo hasta dejar terso. Incorpore el azúcar granulada y azúcar mascabado, batiendo hasta incorporar por completo. Incorpore los huevos, uno a la vez, batiendo, y agregue, la miel y la vainilla, batiendo hasta integrar. Añada la mezcla de harina y mezcle con una cuchara de madera hasta integrar. Incorpore las chispas de chocolate distribuyéndolas uniformemente. Extienda la masa en el molde preparado y aplane la superficie.

Hornee cerca de 25 minutos, hasta que un palillo insertado en el centro salga casi limpio, con unas cuantas migajas pegadas. Deje enfriar por completo en el molde, colocándolo sobre una rejilla de metal. Pase un cuchillo alrededor de las orillas del molde para despegar las orillas del brownie. Levante el brownie con las orillas del papel y retire del molde.

Corte el brownie en 20 cuadros y sirva. Los sobrantes pueden almacenarse en un recipiente hermético a temperatura ambiente hasta por 3 días.

 DELE UN GIRO Si usted piensa que todos los brownies deben tener nueces, agregue una taza de nueces toscamente picadas a la pasta en vez de las chispas de chocolate. Para preparar un extraordinario sundae de chocolate, cubra el brownie con una bola grande de su helado favorito, rocíe con la salsa fudge caliente (página 225) y corone con una cucharada de crema batida (página 248).

Los cobblers realzan todo tipo de fruta madura y jugosa. Ninguna cantidad de azúcar puede mejorar el sabor de la fruta dura e insípida que no sea de temporada, por lo que recomendamos que espere a tener los perfectos especímenes para preparar un cobbler. Podría decirse que los duraznos son los que hacen el mejor cobbler y una bola de helado de vainilla hará que un buen platillo sepa aún mejor.

COBBLER DE DURAZNO

Duraznos, 2 ¼ kg (5 lb)

Azúcar mascabado claro,
½ taza compacta

Fécula de maíz,
2 cucharadas

Media crema, ¾ taza

Huevo grande, 1

Extracto puro de vainilla,
1 cucharadita

Harina de trigo simple, 2
tazas

Azúcar granulada, ¼ taza
más la necesaria para
espolvorear

Polvo para hornear,
1 cucharada

Sal fina de mar, ½
cucharadita

Mantequilla sin sal,
6 cucharadas

RINDE 8 PORCIONES

Precaliente el horno a 190°C (375°F). Engrase ligeramente con mantequilla un molde para hornear de 22 x 33 cm (9 x13 in). Tenga a la mano un tazón con agua y hielos.

Llene una olla grande con agua y lleve a ebullición sobre fuego alto. Trabajando con unos cuantos a la vez, sumerja los duraznos en el agua hirviendo cerca de un minuto, sólo hasta que la piel se afloje. Usando una cuchara ranurada pase al tazón con el agua helada. Pele, deshuese y rebane los duraznos; deberá tener aproximadamente 12 tazas.

En un tazón mezcle los duraznos con el azúcar mascabado y fécula de maíz. Extienda en el molde preparado, coloque el molde sobre una charola para hornear y hornee durante 15 minutos.

Mientras tanto, en un tazón bata la media crema con el huevo y la vainilla hasta integrar por completo. En otro tazón cierna la harina con ¼ taza de azúcar granulada, polvo para hornear y sal. Corte la mantequilla en cucharadas y esparza sobre la mezcla de harina. Usando un mezclador de varillas o 2 cuchillos, corte la mantequilla para integrar en la mezcla de harina, hasta que se formen migas toscas del tamaño de un chícharo. Agregue la mezcla de media crema y mezcle sólo hasta que la masa se empiece a unir.

Cuando el relleno se haya horneado durante 15 minutos, retírelo del horno. Coloque 8 cucharadas colmadas de la masa sobre el relleno separándolas uniformemente. Vuelva a hornear de 30 a 40 minutos más, hasta que el jugo de los duraznos burbujee, la cubierta esté dorada y que al insertar un palillo en la cubierta éste salga limpio.

Pase a una rejilla de metal y deje enfriar por lo menos durante 30 minutos; sirva.

DELE UN GIRO Haga su cobbler con 12 tazas de su fruta favorita, ajustando la cantidad de azúcar dependiendo de la acidez de la fruta. Experimente con moras azules, frambuesas y zarzamoras (no utilice fresas, ya que cambian su color al hornearse), cerezas ácidas deshuesadas, o manzanas o peras sin piel, descorazonadas y rebanadas.

La mayoría de las personas encuentran difícil elegir cuál es su pay favorito, pero el pay cremoso de plátano, de seguro estará entre los primeros lugares de muchas listas. Otro clásico de las cafeterías que brilla aún más cuando se prepara en casa, cada bocado ofrece un popurrí celestial de corteza amantequillada, relleno aterciopelado de vainilla, sustanciosa crema batida y rebanadas de plátano dulce y maduro.

PAY CREMOSO DE PLÁTANO

Masa quebrada para corteza sencilla (página 248)

Leche entera, 3 tazas

Fécula de maíz, ⅓ taza

Yemas de huevo grandes, 4

Azúcar granulada, ⅔ taza

Sal fina de mar, ⅛ cucharadita

Vaina de vainilla, 1

Mantequilla sin sal, 2 cucharadas, separadas en cucharadas

Plátanos, 2 grandes, sin piel y rebanados

Crema batida (página 248)

Rizos de chocolate semiamargo (página 248) para acompañar (opcional)

RINDE 8 PORCIONES

Coloque la masa sin envolver sobre una superficie de trabajo espolvoreada con harina y espolvoree con harina. (Si la masa está muy fría, deje reposar por varios minutos hasta que se suavice). Extienda con ayuda de un rodillo para hacer un círculo de 30 cm (12 in) de diámetro y 3 mm (⅛ in) de grueso. Coloque en un molde de pay de 23 cm (9 in) acomodando la masa en el fondo y las orillas. Recorte la masa, dejando un sobrante de 2 cm (¾ in). Doble el sobrante hacia abajo y decore haciendo una orilla ondulada. Utilizando un tenedor pique la masa por todos lados, cubra con papel aluminio y congele durante 30 minutos. Mientras tanto, coloque una rejilla del horno en el tercio inferior y precaliéntelo a 190°C (375°F). Coloque el molde en una charola para hornear y rellene el papel aluminio con pesas para hornear pays. Hornee de 12 a 15 minutos, hasta que la masa se vea seca y ligeramente dorada. Retire el papel aluminio y las pesas. Continúe horneando de 12 a 15 minutos más, hasta que la masa esté dorada. Pase a una rejilla de metal y deje enfriar por completo.

En un tazón pequeño bata la ½ taza de leche con la fécula. En un tazón refractario, bata las yemas hasta integrar. Gradualmente integre la mezcla de leche con las yemas, batiendo. En una olla mezcle las 2 ½ tazas de leche restantes con el azúcar y la sal. Usando un cuchillo mondador corte la vaina de vainilla longitudinalmente a la mitad, raspe para que las semillas caigan en la olla y agregue la vaina. Coloque sobre fuego medio y lleve a ebullición lenta, moviendo para disolver el azúcar. Gradualmente integre la leche caliente con la mezcla de huevo, batiendo, y regrese a la olla. Caliente sobre fuego medio hasta que la mezcla suelte el hervor, batiendo constantemente. Reduzca el fuego a bajo y deje que burbujee durante 3 segundos. Retire del fuego y agregue la mantequilla, batiendo. Pase a través de un colador de malla mediana colocado sobre un tazón de acero inoxidable para retirar cualquier partícula de clara de huevo cocida y la vaina de vainilla. Presione un trozo de plástico adherente directamente sobre la superficie del relleno y pique el plástico varias veces con un cuchillo para permitir que el vapor escape. Coloque el tazón en otro tazón más grande con agua y hielos y deje enfriar hasta que esté tibio.

Esparza las rebanadas de plátano sobre la corteza de pay. Esparza el relleno sobre los plátanos. Presione otro trozo de plástico adherente directamente sobre la superficie del relleno y refrigere por lo menos durante una hora, hasta enfriar. Retire el plástico adherente. Esparza una espiral de crema batida sobre el relleno. Refrigere hasta el momento de servir. Cuando vaya a servir disperse los rizos de chocolate, si los usa, sobre la crema batida y sirva en rebanadas.

Anteriormente, muchas amas de casa preparaban el volteado de piña con piña de lata y tanta azúcar morena que se les destemplaban los dientes. Hoy en día usted puede comprar una piña fresca en la mayoría de los mercados y reducir la cantidad de cubierta para adaptarse a los gustos contemporáneos. Sea valiente al invertir el pastel, no es tan difícil.

PASTEL VOLTEADO DE PIÑA

Piña, 1

Azúcar mascabado claro,
1 taza compacta

Mantequilla sin sal,
6 cucharadas más ½ taza,
a temperatura ambiente

Harina de trigo, 1½ taza

Polvo para hornear,
1½ cucharadita

Sal fina de mar, ¼
cucharadita

Azúcar granulada, 1 taza

Huevos grandes, 2, a
temperatura ambiente

Extracto puro de vainilla,
1 cucharadita

Leche entera, ½ taza

RINDE 8 PORCIONES

Precaliente el horno a 175°C (350°F). Corte la corona y la base de la piña. Deteniendo la piña verticalmente, retire la corteza quitando lo menos posible de la carne. Con la piña sobre uno de sus lados, corte surcos poco profundos para retirar los "ojos" de color café. Corte la piña longitudinalmente en cuartos y después retire la parte central fibrosa. Corte la fruta en trozos y reserve. Usted deberá tener 2 tazas.

En un molde de hierro fundido de aproximadamente 25 cm (10 in) mezcle el azúcar mascabado con 6 cucharadas de mantequilla y caliente sobre fuego medio, moviendo frecuentemente, hasta que la mantequilla se derrita y la mezcla burbujee. Esparza los trozos de piña uniformemente en el molde. Reserve.

En un tazón cierna la harina con el polvo para hornear y la sal. En otro tazón, usando una batidora eléctrica manual a velocidad media-alta, bata el azúcar granulada con ½ taza de mantequilla cerca de 3 minutos, hasta que la mezcla tenga una textura ligera. Incorpore batiendo los huevos, uno a la vez, e integre la vainilla. Reduzca la velocidad a baja y añada la mezcla de harina en 3 tandas, alternando con la leche en 2 tandas, empezando y terminando con la mezcla de harina y deteniéndose para bajar la pasta que quede en las orillas del tazón con ayuda de una espátula conforme sea necesario; siga batiendo hasta dejar tersa. Esparza la pasta uniformemente sobre la piña.

Hornee el pastel cerca de 35 minutos, hasta que esté dorado y que al insertar un palillo en el centro salga limpio. Deje enfriar en el molde sobre una rejilla de metal durante 5 minutos.

Pase un cuchillo alrededor del interior del molde para retirar el pastel. Invierta un platón o plato para pastel sobre el molde. Deteniendo el platón y el molde juntos, inviértalos y sacuda para desmoldar el pastel. Levante el molde. Deje enfriar hasta que esté tibio y sirva.

 DELE UN GIRO Esparza ½ taza de nueces picadas sobre la mezcla de mantequilla y azúcar mascabado en la sartén justo antes de añadir la piña. También puede sustituir la piña por 2 tazas de duraznos sin piel, sin hueso y rebanados, o manzanas o peras, sin piel, descorazonadas y rebanadas.

Aquí le mostraremos como preparar un cremoso y sustancioso budín de arroz que garantiza ser el orgullo de cualquier cocinero. El arroz italiano usado para preparar risotto, como el Arborio o el Carnaroli, tiene bastante almidón, lo que ayudará a espesar este budín sin huevos. La receta necesita de su paciencia y atención al hornearse, por lo que recomendamos prepararlo un día que tenga suficiente tiempo.

BUDÍN DE ARROZ AL HORNO

Leche entera,
4 tazas o la necesaria

Arroz Arborio o Carnaroli,
⅓ taza

Azúcar granulada, ⅓ taza

Mantequilla sin sal,
1 cucharada

Raja de canela, ½

Extracto puro de vainilla,
1 cucharadita

Ralladura fina de naranja,
de 1 naranja

Sal fina de mar

Crema batida (página 248)

RINDE DE 4 A 6
PORCIONES

Precaliente el horno a 150°C (300°F). Engrase ligeramente con mantequilla un refractario con capacidad de 2 litros (2 qt).

En una olla mezcle 4 tazas de leche, el arroz, azúcar, mantequilla y raja de canela. Lleve a ebullición lenta sobre fuego medio, mezclando para disolver el azúcar. Vierta en el refractario preparado y distribuya el arroz uniformemente. Hornee cerca de 1 ½ hora, moviendo con una cuchara de madera cada 15 ó 20 minutos, hasta que el arroz esté suave y haya absorbido la mayoría de la leche.

Retire del horno e incorpore la vainilla, ralladura de naranja y una pizca de sal. Si el budín le parece muy espeso, incorpore la leche necesaria hasta obtener la consistencia deseada. Sirva tibio o deje enfriar a temperatura ambiente, tape y refrigere hasta enfriar. Usando una cuchara pase a tazones, cubra con la crema batida y sirva.

 DELE UN GIRO Aunque algunos recuerdan haber sacado las uvas pasas de su budín de arroz, otros no pueden imaginar un budín de arroz sin fruta seca. Si lo desea, añada ½ taza de uvas pasas o grosellas secas, cerezas, arándanos, moras azules o higos picados, mezclándolos con el budín a la hora que pone la vainilla.

Cuando de niño iba a la heladería, los splits de plátano siempre parecían ser lo más extravagante. Con plátanos caramelizados, almendras amantequilladas tostadas, salsa tibia chocolate y cerezas frescas, está claro que para usted no es el split de plátano normal, pero es perfecto para el gusto de los adultos. Compre el mejor helado que puede conseguir o mejor haga el suyo.

SPLIT DE PLÁTANO EXTRAVAGANTE

SALSA FUDGE CALIENTE
Crema espesa, ¾ taza

Miel de maíz clara,
2 cucharadas

Chocolate semiamargo,
170 g (6 oz), finamente
picado

Extracto puro de vainilla,
½ cucharadita

Almendras en hojuelas,
½ taza

Mantequilla sin sal,
1 cucharada, derretida

Sal kosher, ½ cucharadita

Plátanos firmes maduros,
4

Azúcar, 8 cucharaditas

Helado de vainilla,
aproximadamente 2 litros
(½ gal)

**Crema batida (página
248)**

Cerezas frescas con rabo,
4

RINDE 4 PORCIONES

Precaliente el horno a 175°C (350°F). Para preparar la salsa fudge caliente, en una olla pequeña mezcle la crema con la miel y lleve a ebullición lenta sobre fuego medio. Retire del fuego y agregue el chocolate picado. Deje reposar durante 3 minutos, añada la vainilla y bata hasta obtener una mezcla tersa. Deje enfriar hasta entibiar.

Mientras tanto, en una charola pequeña para hornear con bordes mezcle las almendras con la mantequilla y esparza en una sola capa. Coloque en el horno y tueste cerca de 10 minutos, moviendo ocasionalmente, hasta dorar. Retire del horno y espolvoree con la sal. Deje enfriar en la charola.

Parta longitudinalmente a la mitad los plátanos con cáscara. Espolvoree las partes cortadas de cada plátano con una cucharadita de azúcar. Caliente una sartén antiadherente grande sobre fuego medio. Trabajando en tandas para no amontonar, añada las mitades de plátano, con la parte cortada hacia abajo y cocine cerca de 30 segundos, sólo hasta que se hayan caramelizado. Pase a un plato.

Para preparar cada split de plátano, retire la piel de las 2 mitades de plátano y acomode con los lados caramelizados hacia arriba en un plato para split o un tazón alargado. Coloque 3 bolas de helado entre las mitades de plátano. Cubra con la salsa fudge caliente y espolvoree con las almendras tostadas y una cucharada de crema batida. Coloque una cereza sobre la crema y sirva de inmediato.

 DELE UN GIRO Muchas heladerías preparan sus splits de plátano con una bola de vainilla, otra de fresa y otra de chocolate, y quizás usted querrá seguir ese ejemplo. O utilice su sabor favorito de helado. También puede sustituir las almendras por cacahuates o nueces de la India.

El secreto detrás de este jugoso pastel de suntuoso chocolate es la mezcla de cacao en polvo (use el natural no el estilo holandés) con agua hirviendo, lo cual permite realzar el sabor del chocolate y añade humedad adicional al pastel. Esta receta, favorita de todos los tiempos, de pastel de chocolate hecho en capas con glaseado aterciopelado de chocolate, lo convierten en el pastel de cumpleaños por excelencia.

PASTEL DE CHOCOLATE DEVIL'S FOOD

PASTEL DE CHOCOLATE DEVIL'S FOOD

Agua hirviendo, 1 taza

Cocoa en polvo natural sin endulzar, ¾ taza

Harina de trigo simple, 1¾ taza

Bicarbonato de sodio, 1½ cucharadita

Sal fina de mar, ¼ cucharadita

Azúcar, 2 tazas

Mantequilla sin sal, ½ taza más 2 cucharadas, a temperatura ambiente

Huevos grandes, 3

Extracto puro de vainilla, 1 cucharadita

Buttermilk o yogurt, 1¼ taza

BETÚN DE CHOCOLATE

Azúcar glass, 3¾ taza

Cocoa en polvo natural sin endulzar, 1 taza

Mantequilla sin sal, ½ taza, a temperatura ambiente

Extracto puro de vainilla, 1 cucharadita

Crema dulce para batir, aproximadamente 1 taza

RINDE 10 PORCIONES

Para hacer el pastel, precaliente el horno a 175°C (350°F). Engrase ligeramente con mantequilla dos moldes redondos para pastel de 23 cm (9 in). Forre el fondo de cada molde con un círculo de papel encerado. Espolvoree los moldes con harina, sacudiendo el exceso.

En un tazón refractario pequeño, bata la cocoa con el agua hirviendo con un batidor globo, hasta obtener una mezcla tersa. Deje enfriar por completo. Sobre un tazón cierna la harina con el bicarbonato de sodio y sal. En un tazón grande, usando una batidora eléctrica manual a velocidad media-alta, bata el azúcar con la mantequilla cerca de 3 minutos, hasta que la mezcla esté ligera de color y de textura. Integre los huevos, batiendo uno a la vez, e integre la vainilla y la mezcla de la cocoa fría. Reduzca la velocidad a baja y agregue la mezcla de harina en 3 tandas, alternando con el buttermilk en 2 tandas, empezando y terminando con la mezcla de harina y deteniéndose para bajar la mezcla de los lados del tazón cuando sea necesario, batiendo hasta obtener una mezcla tersa. Divida la mezcla uniformemente entre los moldes preparados y empareje la superficie. Hornee los pasteles de 35 a 40 minutos, hasta que empiecen a separarse de los lados de los moldes. Pase a rejillas de metal y deje enfriar en los moldes durante 15 minutos. Pase un cuchillo alrededor de la orilla de cada molde para separar el pastel. Invierta los moldes sobre las rejillas, levante los moldes y retire el papel encerado. Voltee cada pastel con la superficie hacia arriba y deje enfriar por completo.

Para hacer el betún, sobre un tazón cierna el azúcar glass y la cocoa. Usando la batidora a velocidad baja, integre la mantequilla hasta que esté grumosa. Incorpore la vainilla, batiendo, e integre gradualmente la cantidad necesaria de crema para preparar un betún fácil de extender.

Coloque una capa de pastel sobre un plato para pastel, acomodando con la base plana hacia arriba. Usando una espátula para glasear unte la superficie con ½ taza generosa del betún. Ponga la segunda capa de pastel, igualmente con la base plana hacia arriba sobre la primera capa untada con betún. Unte el betún restante sobre la cubierta y los lados del pastel. Parta el pastel en rebanadas gruesas y sirva.

 DELE UN GIRO Para hacer mantecadas de chocolate, forre 24 moldes para mantecada con capacillos de papel. Usando una cuchara pase la masa a los moldes preparados. Hornee de 20 a 25 minutos, hasta que al presionar la superficie ésta rebote. Deje enfriar antes de cubrir con el betún.

El suculento pastel de chocolate devil's food con exquisito betún de chocolate es una obra de arte que garantiza conquistar a todos los amantes del chocolate.

Mi familia era tan grande que casi no había un fin de semana sin que alguien celebrara una fiesta de cumpleaños. El pastel de chocolate era generalmente el seleccionado, por lo que me convertí en un experto desde temprana edad. Mi finada prima Trudy hacía el pastel que impuso la norma: suave, con jugosas capas de intenso sabor a chocolate unidas con una generosa cantidad de betún oscuro y delicioso. Ella guardaba celosamente la receta y algunos murmuraban que su especialidad venía de una mezcla en caja. En mi familia de reposteros, donde los cuernitos hechos en casa se servían como pan para la cena, esas habladurías eran poco más que herejías. Ella murió sin revelar la receta, pero yo supe que esta receta era un éxito cuando otro de mis primos dijo: "¡Este pastel es tan bueno como el de Trudy!"

No hay nada más casero, otoñal y americano que un tibio pay de manzana enfriándose sobre la cubierta de la cocina. Busque manzanas buenas para hornear como las Mutsu, Pink Lady o Empire para hacer este tradicional postre, luego cubra cada rebanada con una bola de helado de vainilla o con rebanadas de queso cheddar fuerte para mantener la tradición.

PAY DE MANZANA

Manzanas para hornear, 1 ½ kg (3 lb)

Azúcar mascabado claro, ⅓ taza compacta

Azúcar granulada, ⅓ taza

Jugo fresco de limón, 2 cucharadas

Harina de trigo simple, 2 cucharadas

Canela molida, ½ cucharadita

Masa quebrada para corteza doble (página 248)

Mantequilla sin sal, 2 cucharadas, finamente rebanada

RINDE 8 PORCIONES

Coloque una rejilla en el tercio inferior del horno y precaliéntelo a 200°C (400°F). Retire la piel de las manzanas, descorazone y corte en rebanadas delgadas. En un tazón grande mezcle las manzanas, azúcares, jugo de limón, harina y canela. Reserve.

Ponga la masa sin envoltura sobre una superficie de trabajo ligeramente enharinada y divida a la mitad. Vuelva a envolver la mitad de la masa en la envoltura y reserve. (Si la masa está dura por estar fría, deje reposar a temperatura ambiente durante unos minutos hasta que empiece a suavizarse antes de extenderla). Espolvoree la superficie de la masa con harina, extienda con ayuda de un rodillo para hacer un círculo de aproximadamente 30 cm (12 in) de diámetro y 3 mm (⅛ in) de grueso. Pase a un molde para pay de 23 cm (9 in), acomodando cuidadosamente la masa en el fondo y los lados del molde. Usando unas tijeras o un cuchillo pequeño recorte la masa dejando que cuelgue un sobrante de 2 cm (¾ in). Extienda la mezcla de manzana sobre el pay y esparza las rebanadas de mantequilla sobre las manzanas.

Ponga la segunda mitad de la masa en una superficie de trabajo ligeramente enharinada

y espolvoree la superficie de la masa con harina. Extienda para hacer un círculo de aproximadamente 30 cm (12 in) de diámetro y 3 mm (⅛ in) de grueso. Centre el círculo sobre el relleno de manzanas. Recorte la masa para que quede del mismo tamaño que la corteza inferior. Doble el sobrante hacia abajo de manera que la masa quede alineada con la orilla del molde y presione para juntarlas y sellarlas. Ondule la orilla decorativamente. Haga unos cortes decorativos en la corteza superior. Refrigere el pay durante 15 minutos.

Ponga el molde del pay sobre una charola para hornear con borde. Hornee durante 15 minutos. Reduzca la temperatura del horno a 175°C (350°F) y continúe horneando cerca de una hora, hasta que la corteza esté dorada y el jugo que se ve a través de los cortes burbujee. Pase a una rejilla de metal para enfriar. Sirva caliente o a temperatura ambiente.

 DELE UN GIRO Para preparar un pay de cereza hecho en casa, mezcle 4 tazas de cerezas ácidas sin hueso con 1 ⅓ taza de azúcar, 3 cucharadas de tapioca de cocimiento rápido, 1 cucharada de jugo fresco de limón y ¼ cucharadita de extracto puro de almendra. Extienda la mezcla sobre el molde cubierto por la masa. Esparza la mantequilla sobre la superficie como se indica en la receta para el pay de manzana, tape con un segundo círculo de masa y hornee como se indica en la receta.

Aun en su sencillez el budín de pan es como para chuparse los dedos. Al usar pan challah o algún otro pan hecho con huevo como el brioche o panettone le da a esta versión una riqueza y cuerpo adicional, y además dos cosas lo hacen destacar: el azúcar caramelizado el cual le agrega una increíble profundidad de sabor y las frambuesas rojas y brillantes que se dispersan en la superficie para finalizar.

BUDÍN DE PAN CARAMELIZADO

Challah (pan de tradición hebrea), 1 barra (de aproximadamente 500 g/1 lb)

Leche entera, 4 tazas

Mantequilla sin sal, ½ taza

Sal fina de mar

Azúcar, 1²/₃ taza

Miel de maíz clara, 1 cucharada

Huevos grandes, 5

Extracto puro de vainilla, 1½ cucharadita

Frambuesas, 4 tazas

Crema batida (página 248) o crème fraîche para acompañar

RINDE 8 PORCIONES

Precaliente el horno a 175°C (350°F). Corte el challah en cubos de 2 ½ cm (1 in); usted deberá tener aproximadamente 8 tazas. Extienda los cubos de pan sobre una charola para hornear con borde. Hornee de 10 a 15 minutos, hasta que el pan esté seco alrededor de las orillas pero no tostado. Deje enfriar. Reduzca la temperatura del horno a 150°C (300°F).

En una olla sobre fuego medio, caliente la leche, mantequilla y una pizca de sal, moviendo frecuentemente, hasta que la mantequilla se derrita. Reserve y tape para mantener caliente. En una olla grande mezcle el azúcar, miel de maíz y ¼ taza de agua y mueva para humedecer el azúcar. Coloque sobre fuego alto y lleve a ebullición moviendo constantemente. Deje de mover y cocine, bajando los cristales que se formen en los lados de la olla con ayuda de una brocha para repostería mojada en agua fría y ocasionalmente dándole vueltas a la olla sujetándola del mango, hasta que el azúcar se convierta en un caramelo de color dorado oscuro. El caramelo tendrá un aroma a tostado y quizás se ve una brizna de humo. Reduzca el fuego a bajo. Gradualmente y con mucho cuidado integre la mezcla de la leche caliente con el caramelo; la mezcla hervirá enérgicamente. Cocine, moviendo constantemente, hasta obtener una mezcla tersa y que el caramelo esté totalmente disuelto. Retire del fuego.

En un tazón refractario muy grande, bata los huevos con un batidor globo, hasta integrar. Gradualmente integre la mezcla del caramelo, batiendo, y luego la vainilla. Agregue los cubos de pan y deje reposar durante 10 minutos, moviendo ocasionalmente.

Engrase ligeramente con mantequilla un refractario con capacidad de 3 litros (3 qt). Vierta la mezcla de pan en el refractario. Ponga el refractario en una charola para asar grande. Meta al horno y agregue agua caliente a la charola para asar hasta que cubra la mitad de los lados del refractario. Hornee cerca de 40 minutos, hasta que al insertar un cuchillo en el centro del budín salga limpio. Pase a una rejilla de metal y deje enfriar durante 10 minutos. Disperse las frambuesas sobre el budín caliente. Sirva en tazones poniendo una cucharada de crema batida sobre cada porción.

 DELE UN GIRO En lugar de frambuesas, cubra el budín de pan con otra fruta de temporada como duraznos, nectarinas, zarzamoras, moras azules o alguna combinación de ellas.

Cucharada por cucharada, ¿existe un postre más reconfortante que el budín? Del trío de diferentes sabores de budín: vainilla, chocolate y caramelo (butterscotch), el último es sin duda el que tiene más admiradores. Pero mucha gente sólo ha probado los que vienen en caja. Aquí presentamos el verdadero pudín con infusión de caramelo y rico sabor a mantequilla.

AUTÉNTICO PUDÍN DE CARAMELO

Yemas de huevo, 6

Fécula de maíz, ⅓ taza más 1 cucharada

Leche entera, 3 tazas

Mantequilla sin sal, 6 cucharadas

Sal fina de mar

Azúcar, 1¼ taza

Extracto puro de vainilla, 1 cucharadita

Crema batida, (página 248)

RINDE DE 4 A 6 PORCIONES

En un tazón refractario bata las yemas de huevo, fécula de maíz y ½ taza de leche con un batidor globo, hasta integrar por completo. En una olla pequeña mezcle las 2 ½ tazas restantes de leche con la mantequilla y una pizca de sal; caliente sobre fuego medio, moviendo frecuentemente, hasta que la mantequilla se derrita. Reserve y tape para mantener caliente.

En una olla grande mezcle el azúcar con ¼ taza de agua y mezcle para humedecer el azúcar. Coloque sobre fuego alto y lleve a ebullición, moviendo constantemente. Deje de mover, siga cocinando y baje los cristales que se forman en los lados de la olla con una brocha de repostería mojada en agua fría y ocasionalmente dándole vueltas a la olla sujetándola del mango, hasta que el azúcar se convierta en un caramelo de color dorado oscuro. El caramelo tendrá un aroma a tostado y a lo mejor se ve una brizna de humo. Reduzca el fuego a bajo. Gradualmente y con mucho cuidado integre la mezcla de leche caliente al caramelo; la mezcla hervirá enérgicamente. Cocine, moviendo constantemente, hasta que la mezcla quede tersa y el caramelo esté completamente disuelto. Gradualmente integre la mezcla de caramelo caliente con la mezcla de huevo, batiendo. Vuelva a poner en la olla y caliente sobre fuego medio, batiendo constantemente, hasta que la mezcla suelte el hervor. Pase por un colador de malla gruesa colocado sobre un tazón. Integre la vainilla. Presione una pieza de plástico adherente directamente sobre la superficie del pudín y pique el plástico con la punta de un cuchillo para dejar escapar el vapor. Deje enfriar hasta que entibie. Refrigere cerca de 2 horas, hasta enfriar.

Ponga una capa del pudín frío y luego una de crema batida cubriendo uniformemente en 4 ó 6 copas o tazones para postre. Sirva de inmediato o refrigere hasta por 8 horas antes de servir.

 DELE UN GIRO Para preparar un extraordinario pudín de plátano, alterne capas del pudín de caramelo con rebanadas de plátano, galletas de vainilla y crema batida en tazones individuales. Refrigere durante un par de horas hasta suavizar las galletas.

Uno de los placeres más grandes de la vida es acurrucarse a leer un buen libro con una taza de chocolate caliente cubierto con malvaviscos. Los malvaviscos hechos en casa, que son sorprendentemente fáciles de hacer, hacen que este agasajo sea aún mejor. Así mismo, el agregar café a la cocoa, también le da un grato toque de sabor a moca.

CHOCOLATE CALIENTE CON MALVAVISCOS

MALVAVISCOS

Aceite de canola para engrasar

Azúcar glass para espolvorear

Grenetina sin sabor, 2 sobres (de 7 g/¼ oz cada uno)

Azúcar granulada, 1 taza

Miel de maíz clara, ⅔ taza

Sal fina de mar, ⅛ cucharadita

Vaina de vainilla, 1

CHOCOLATE CALIENTE

Cocoa en polvo natural sin endulzar o estilo holandés, ⅓ taza

Azúcar granulada, ½ taza

Sal fina de mar

Café recién hecho o agua hirviendo, ⅓ taza

Leche entera, 4 tazas

RINDE 4 PORCIONES DE CHOCOLATE CALIENTE Y 24 MALVAVISCOS

Para hacer los malvaviscos, engrase ligeramente un refractario cuadrado de 20 cm (8 in). Forre con una hoja de papel de aluminio de 40 cm (16 in) de largo todo el fondo y los lados del refractario, doblándolo para acomodarlo en el molde y permitiendo que el exceso cuelgue sobre los lados. Engrase ligeramente con aceite el papel aluminio y espolvoree generosamente el fondo y los lados del recipiente con azúcar glass. Vierta ⅓ taza de agua en el tazón de una batidora de mesa. Espolvoree la grenetina sobre el agua. Adapte la batidora con el aditamento de pala. En una olla pequeña mezcle el azúcar granulada con la miel de maíz y ⅓ taza de agua. Coloque un termómetro para dulces en la orilla de la olla y caliente sobre fuego alto. Lleve a ebullición, moviendo para disolver el azúcar. Cuando suelte el hervor deje de mover y cocine bajando los cristales que se formen en los lados de la olla con una brocha de repostería mojada en agua fría y ocasionalmente dándole vueltas a la olla, sujetándola del mango, hasta que el termómetro registre 120°C (240°F). Con la batidora a velocidad baja, vierta gradualmente el jarabe caliente en la mezcla de grenetina. Agregue la sal, aumente la velocidad a medio-alta y bata cerca de 10 minutos, hasta que la mezcla esté blanca, esponjosa y se haya enfriado hasta quedar tibia. Usando un cuchillo pequeño, abra la vaina de vainilla longitudinalmente a la mitad. Con la punta del cuchillo raspe las semillas sobre el tazón de la batidora y bata brevemente para integrar. Reserve la vaina de vainilla. Usando una espátula de hule mojada, extienda la mezcla inmediatamente en el refractario preparado. Deje reposar a temperatura ambiente por lo menos durante 4 horas, hasta que esté completamente cuajado.

Espolvoree generosamente una superficie de trabajo con azúcar glass. Voltee cuidadosamente el refractario sobre la superficie de trabajo para desmoldar el malvavisco. Levante cuidadosamente el refractario y despegue el papel aluminio. Usando un cuchillo engrasado con aceite o una rueda cortadora para pizza, corte 24 malvaviscos.

Para preparar el chocolate caliente, en una olla bata la cocoa, azúcar y una pizca de sal. Integre gradualmente el café, batiendo. Agregue la vaina reservada de vainilla. Caliente sobre fuego medio y lleve a ebullición. Cuando suelte el hervor reduzca el fuego a medio-bajo y hierva lentamente durante 2 minutos. Integre la leche, batiendo, y aumente el fuego a medio-alto. Cocine, batiendo frecuentemente, hasta que esté muy caliente pero sin hervir. Deseche la vaina de vainilla. Divida el chocolate caliente entre 4 tarros precalentados y cubra cada uno con 2 malvaviscos. (Almacene los malvaviscos restantes espolvoreados con azúcar glass en un recipiente sellado herméticamente a temperatura ambiente hasta por una semana). Sirva de inmediato.

El pastel de queso no es solamente un postre, es todo un evento. Este pastel es increíblemente grueso y suculento además de ser también un poco firme y denso, exactamente como debe ser un pastel de queso estilo Nueva York. Se puede presentar en casa en una elegante mesa festiva, así como en una cena informal para cualquier día de la semana. Tenga cuidado de no sobre hornearlo, ya que se puede cuartear mientras se enfría.

PASTEL DE QUESO CON CEREZAS

Galletas integrales o Graham molidas, 1 taza

Almendras fileteadas blanqueadas, ½ taza

Azúcar, 1½ taza más 3 cucharadas

Mantequilla sin sal, 4 cucharadas, derretida

Queso crema, 1 kg (2 lb), a temperatura ambiente

Harina de trigo simple, 2 cucharadas

Sal kosher

Crema ácida, ½ taza

Extracto puro de vainilla, 1 cucharada

Huevos grandes, 3, a temperatura ambiente

Cerezas, 500 g (1 lb), sin hueso y partidas a la mitad

Jugo de cereza, ½ taza

Fécula de maíz, 1 cucharada

RINDE 12 PORCIONES

Para preparar la corteza, precaliente el horno a 175°C (350°F). Engrase con mantequilla un molde redondo de 23 cm (9 in) con base desmontable. En un procesador de alimentos mezcle las galletas molidas, almendras y 3 cucharadas de azúcar; pulse hasta que estén finamente molidas. Rocíe la mantequilla y pulse hasta integrar por completo y que esté uniformemente humedecida. Pase al molde preparado, presionando uniformemente sobre el fondo y subiendo aproximadamente 3 ¾ cm (1 ½ in) por los lados. Hornee cerca de 7 minutos, hasta que esté dorada y firme. Deje enfriar completamente sobre una rejilla. Reduzca la temperatura del horno a 150°C (300°F).

Para preparar el relleno, mezcle en una batidora de mesa adaptada con el aditamento de pala el queso crema, harina y ¼ cucharadita de sal. Bata a velocidad media-alta hasta suavizar, deteniéndose conforme sea necesario para bajar la mezcla que quede en los lados del tazón. Agregue 1 ¼ taza de azúcar, la crema ácida y la vainilla; bata hasta integrar, deteniéndose otra vez para bajar la mezcla que quede en los lados del tazón conforme sea necesario. Añada los huevos, uno a la vez, batiendo después de cada adición. Vierta el relleno en la corteza fría. Hornee el pastel de queso cerca de una hora, hasta que el relleno se cuaje pero el centro todavía tiemble ligeramente cuando se sacuda el molde suavemente. (El relleno se pondrá firme mientras se enfría). Pase a una rejilla de metal. Pase cuidadosamente un cuchillo filoso alrededor del interior del molde para separar el pastel de queso. Deje enfriar a temperatura ambiente. Tape y refrigere por lo menos durante 3 horas, hasta enfriar.

Mientras tanto, prepare la cubierta de cerezas. En una olla mezcle las cerezas, jugo de cereza, el ¼ taza restante de azúcar y una pizca de sal y cocine sobre fuego medio-alto de 2 a 3 minutos, moviendo, hasta que las cerezas se suavicen. En un tazón mezcle la fécula de maíz con una cucharada de agua y agregue a la mezcla de las cerezas. Cocine cerca de 3 minutos solamente, hasta que el líquido empiece a hervir y espese. Pase a un tazón para enfriar.

Para servir retire los lados del molde. Resbale el pastel de queso a un platón para servir. Corte en rebanadas y acompañe con la cubierta de cerezas sobre cada rebanada.

 DELE UN GIRO Para preparar un pastel de queso con sabor a limón, agregue 2 cucharaditas de ralladura de limón al relleno con la vainilla. En lugar de la cubierta de cerezas, sirva el pastel de queso con fresas rebanadas y azucaradas.

Si le gusta que el merengue parezca una nube, éste es el pay para usted. El merengue se eleva muy alto sobre un sedoso y suave relleno de limón perfectamente agridulce. Los aromáticos limones Meyer son cada día más fáciles de encontrar, por lo que recomendamos que los use si los tiene a mano, aunque nadie va a despreciar este pay si usa limones amarillos.

PAY EXTRA ALTO DE LIMÓN CON MERENGUE

Masa quebrada para corteza doble, (página 248)

Huevos grandes, 8

Azúcar, 2 tazas más 2 cucharadas

Fécula de maíz, ¼ taza

Jugo fresco de limón Meyer, 1 taza

Sal fina de mar, ¼ cucharadita

Mantequilla sin sal, 4 cucharadas, cortada en 4 cucharadas

Ralladura fina de limón Meyer, de 3 limones

RINDE 8 PORCIONES

Ponga la masa sin envolver sobre una superficie de trabajo enharinada y espolvoree con harina. (Si la masa fría está dura, deje reposar durante unos minutos para suavizar). Extienda la masa con ayuda de un rodillo para formar un círculo de aproximadamente 30 cm (12 in) de diámetro y 3 mm (⅛ in) de grueso. Pase a un molde para pay de 23 cm (9 in), acomodando la masa en el fondo y los lados del molde. Recorte la masa dejando que cuelgue un sobrante de 2 cm (¾ in). Doble el sobrante hacia abajo y ondule la orilla. Usando un tenedor pique la masa por todas partes, forre con papel aluminio y congele durante 30 minutos. Mientras tanto, coloque una rejilla en el tercio inferior del horno y precaliéntelo a 185°C (375°F). Ponga el molde con la masa sobre una charola para hornear y llene el aluminio con pesas para pay. Hornee de 12 a 15 minutos, hasta que la masa se vea seca y esté un poco dorada. Retire el papel aluminio y las pesas. Continúe horneando de 12 a 15 minutos más, hasta que la corteza esté dorada. Pase a una rejilla y deje enfriar mientras hace el relleno. Suba la temperatura del horno a 200°C (400°F).

En un tazón bata 3 huevos hasta integrar. Separe los 5 huevos restantes, agregando las yemas a los huevos batidos y poniendo las claras en un tazón grande. Tape las claras y reserve a temperatura ambiente. Bata las yemas para integrar a los huevos batidos. En otro tazón bata 1 ½ taza de azúcar y la fécula de maíz, luego integre, batiendo, los huevos batidos, el jugo de limón y la sal. Pase a una olla gruesa de material no reactivo, caliente sobre fuego medio, batiendo casi constantemente, hasta que la mezcla suelte el hervor. Reduzca el fuego a bajo y deje burbujear durante 30 segundos. Tenga cuidado de no sobre cocinar el relleno ni de cocinarlo poco, ya que cuando se enfríe se puede separar. Retire del fuego e integre la mantequilla, batiendo. Cuele a través de un colador de malla gruesa colocado sobre un tazón para retirar cualquier trocito de clara cocida. Integre la ralladura de limón y vierta en la corteza horneada (la corteza puede estar caliente o al tiempo).

Usando una batidora manual a velocidad alta bata las claras de huevo reservadas hasta que se formen picos suaves. Agregando una cucharada a la vez, integre la ½ taza restante de azúcar, más las 2 cucharadas, batiendo hasta que las claras se conviertan en merengue con picos duros y brillantes. Usando una espátula extienda el merengue uniformemente sobre el relleno caliente, asegurándose de que el merengue toque la corteza por todos lados (para evitar que el merengue se encoja). Usando una espátula haga remolinos en el merengue para formar picos. Hornee cerca de 5 minutos, hasta que se dore el merengue. Pase a una rejilla y deje enfriar por lo menos durante 3 horas antes de servir.

Cuando era niño teníamos en nuestro jardín un limonero al que queríamos mucho, el cual hizo que el pay de limón con merengue fuera un postre frecuente en nuestra mesa.

Este maravilloso pay, el favorito de mi abuela materna, es un clásico familiar. Me acuerdo de todos nosotros sentados alrededor de la mesa de su cocina, cada uno con nuestra propia rebanada grande de pay. Todos teníamos una manera diferente de comer esta delicia. Yo me lo comía en etapas, primero la cubierta de nube, luego el relleno amarillo y ácido y, por último, la corteza crujiente. La abuela se lo comía despacio en mordidas pequeñas entre sorbos de café, como si quisiera prolongar el gozo, combinando los tres elementos: merengue, relleno y corteza, en cada mordida. La receta permaneció igual durante décadas, hasta que un limonero Meyer se incorporó al jardín de mis papás junto al limonero ¡Eureka! Ahora, con el sabor perfumado de los limones Meyer, una receta que ya de por sí era perfecta, es aún mejor.

A pesar de que las fresas se pueden conseguir durante todo el año en los supermercados, debería esperar a la primavera para preparar esta receta con su cosecha local de fresas de temporada. Su paciencia será recompensada con fresas jugosas y llenas de sabor que llevan a esta querida receta clásica a la perfección. Y no se quede corto con la crema batida.

SHORTCAKES DE FRESA

Fresas, 750 g (1½ lb), sin tallo ni cáliz y rebanadas

Azúcar, 6 cucharadas

Harina de trigo simple, 2 tazas

Polvo para hornear, 1 cucharada

Sal fina de mar, ¼ cucharadita

Mantequilla sin sal, 6 cucharadas

Crema dulce para batir, 1 taza

Crema batida (página 248)

RINDE 6 PORCIONES

En un tazón mezcle las fresas con 3 cucharadas del azúcar. Tape y refrigere por lo menos durante 2 horas o hasta por 6 horas para que las fresas suelten su jugo.

Precaliente el horno a 200°C (400°F). Tenga lista una charola para hornear con borde sin engrasar.

En un tazón cierna la harina con las 3 cucharadas restantes de azúcar, el polvo para hornear y la sal. Corte la mantequilla en cucharadas y esparza sobre la mezcla de harina. Usando un mezclador de varillas o 2 cuchillos, integre la mantequilla en la mezcla de harina sólo hasta que la mezcla forme grumos gruesos del tamaño de un chícharo. Agregue la crema dulce y mezcle sólo hasta que se junte la masa.

Extienda la masa sobre una superficie de trabajo ligeramente enharinada y amase suavemente, sólo hasta suavizar. Con un ligero toque, dé golpecitos a la masa para formar un círculo de aproximadamente 1 ¼ cm (½ in) de grueso. Usando un cortador redondo para bisquets o galletas de 7 ½ cm (3 in) corte todos los círculos de masa que pueda y páselos a la charola para hornear, dejando una separación de 2 ½ cm (1 in) entre ellos. Reúna los recortes de la masa, vuelva a extender y corte más círculos para hacer un total de 6 shortcakes. Póngalos en la charola para hornear.

Hornee los shortcakes de 15 a 18 minutos, hasta que estén dorados. Deje enfriar en la charola para hornear colocándola sobre una rejilla de metal, hasta que estén tibios.

Para servir, corte cada shortcake horizontalmente a la mitad y ponga medio shortcake, con el lado cortado hacia arriba, en un plato para postre. Cubra cada mitad de shortcake con una cucharada copeteada de fresas con su jugo y una cucharada de crema batida. Ponga la otra mitad del shortcake sobre la crema batida y sirva de inmediato.

 DELE UN GIRO Las zarzamoras, moras azules, frambuesas, nectarinas y duraznos (o una combinación de ellas) van muy bien con los shortcakes. Para una variación para adultos, sustituya el azúcar por ¼ taza de licor de naranja como Grand Marnier y agregue un poco de azúcar al gusto si lo desea.

RECETAS BÁSICAS

CALDO DE POLLO

Pollo entero con menudencias, 1 (de aproximadamente 2 kg/4 lb)

Cebolla amarilla, 1, picada grueso

Zanahoria, 1, picada grueso

Apio, 1, tallo grande, picado grueso

Perejil liso fresco, 4 ramas

Tomillo fresco, 4 ramas o ½ cucharadita de tomillo seco

Granos de pimienta negra, ¼ cucharadita

Hoja de laurel, 1

RINDE APROXIMADAMENTE 2 LITROS (2 QT)

Saque la grasa amarilla de la cavidad del pollo, píquela y reserve. Usando un cuchillo grande y filoso corte el pollo en 2 alas, 2 mitades de pechuga, 2 patas, 2 muslos y la rabadilla. Reserve el corazón, molleja, riñones e hígado para otro uso.

En una olla sobre fuego medio-bajo caliente la grasa picada hasta que se derrita. Agregue la cebolla, zanahoria y apio; suba el fuego a medio. Tape y cocine cerca de 5 minutos, moviendo ocasionalmente, hasta que las verduras se suavicen.

Destape, agregue las piezas de pollo, las menudencias y agua fría hasta cubrir por 2 ½ cm (1 in) (aproximadamente 3 litros/3 qt). Suba el fuego a alto y deje hervir quitando la espuma que suba a la superficie. Agregue el perejil, tomillo, granos de pimienta y hoja de laurel; reduzca el fuego y hierva lentamente sin tapar cerca de 45 minutos, hasta que las pechugas de pollo no tengan rastros de color rosa cuando se les pique con un cuchillo en la parte más gruesa.

Retire las pechugas de la olla, dejando las demás piezas hirviendo lentamente en el caldo. Retire la piel y los huesos de las pechugas y regréselos a la olla. Reserve la carne de las pechugas. Continúe hirviendo el caldo lentamente cerca de 30

minutos más, hasta que el caldo tenga mucho sabor.

Retire el caldo del fuego y pase a través de un colador colocado sobre un tazón refractario grande. Retire los muslos y las piernas del colador. Deseche su piel y huesos junto con los sólidos del colador. Coloque la carne de las piernas y muslos con la carne reservada de las pechugas. Deje enfriar, tape y refrigere para usar en una sopa o en otra receta.

Deje reposar el caldo durante 5 minutos y retire la grasa de la superficie. Use inmediatamente o deje enfriar, tape y refrigere hasta por 3 días o congele hasta por 3 meses.

CALDO DE RES

Huesos de res con tuétano, 1 kg (2½ lb)

Huesos carnosos de res como pata, pescuezo o costillas, 700 g (1½ lb)

Aceite de canola, 1 cucharada

Cebolla amarilla o blanca, 1, picada grueso

Zanahoria, 1, picada grueso

Apio, 1 tallo con hojas, picado

Perejil liso fresco, 8 ramas

Tomillo fresco, 6 ramas o ½ cucharadita de tomillo seco

Granos de pimienta negra, ¼ cucharadita

Hojas de laurel, 2

RINDE APROXIMADAMENTE 2 LITROS (2 QT)

Coloque una rejilla en el tercio superior del horno y precaliéntelo a 210°C (425°F). Extienda todos los huesos de res en una charola para asar grande. Ase en el horno cerca de 40 minutos, hasta que los huesos estén dorados.

Justo antes de que los huesos estén listos, caliente el aceite en una olla sobre fuego medio-alto. Agregue la cebolla, zanahoria y apio; cocine cerca de 5 minutos, moviendo ocasionalmente, hasta que estén ligeramente dorados. Pase los huesos dorados a la olla. Vierta y deseche la grasa de la charola para asar. Ponga la charola para asar sobre fuego alto. Agregue 2 tazas de agua fría, deje hervir y raspe la base con una cuchara de madera para desprender los trocitos dorados que hayan quedado en ella. Vierta el contenido de la charola para asar en la olla. Agregue agua fría para cubrir los huesos por 2 1/2 cm (1 in). Deje hervir sobre fuego alto, quitando la espuma que suba a la superficie. Agregue el perejil, tomillo, granos de pimienta y hojas de laurel. Reduzca el fuego a medio, hierva lentamente sin tapar por lo menos durante 3 horas o hasta por 5 horas, hasta que el caldo esté lleno de sabor.

Retire y deseche los huesos. Pase el caldo a través de un colador colocado sobre un tazón grande. Deseche los sólidos del colador. Deje reposar el caldo durante 5 minutos y retire la grasa de la superficie. Use inmediatamente o deje enfriar, tape y refrigere hasta por 3 días o congele hasta por 3 meses.

PESTO DE ALBAHACA

Ajo, 1 ó 2 dientes

Piñones, ¼ taza

Hojas frescas de albahaca, 2 tazas compactas

Aceite de oliva extra virgen, ½ taza

Queso parmesano, ½ taza recién rallado

Sal kosher y pimienta recién molida

RINDE CERCA DE 1 TAZA

Con un procesador de alimentos funcionando, deje caer el ajo a través del tubo alimentador y pulse hasta picar finamente. Apague el procesador, agregue los piñones y pulse varias veces hasta picar. Añada la albahaca y pulse varias veces para picar grueso. Con el procesador funcionando, agregue aceite a través del tubo alimentador en hilo lento y continuo y pulse hasta que se forme una pasta tersa y gruesa, deteniéndolo para bajar lo que quede en las paredes del tazón cuando se necesite. Pase a un tazón, integre el queso parmesano. Sazone al gusto con sal y pimienta.

Use el pesto de inmediato o pase a un recipiente hermético, cubra con una capa delgada de aceite, tape herméticamente y refrigere hasta por una semana.

SALSA MARINARA

Jitomates de lata enteros con puré, de preferencia San Marzano, 2 latas (de aproximadamente 780 g/28 oz cada una)

Aceite de oliva, 3 cucharadas

Cebolla amarilla o blanca, 1 grande, finamente picada

Ajo, de 2 a 4 dientes, finamente picados

Vino tinto fuerte, ½ taza

Hojuelas de chile rojo, ¼ cucharadita

Hoja de laurel, 1

Albahaca fresca, ¼ taza, picada

RINDE CERCA DE 6 TAZAS

Vierta los jitomates y el puré en un tazón grande. Usando sus manos machaque los jitomates entre sus dedos. (No exprima demasiado fuerte para que no se salpique con el jugo de tomate).

En una olla grande de material no reactivo sobre fuego medio, caliente el aceite. Agregue la cebolla y cocine cerca de 5 minutos, moviendo ocasionalmente, hasta suavizar. Integre el ajo y cocine cerca de un minuto, hasta que aromatice.

Añada el vino y deje hervir. Agregue los jitomates machacados con su puré, las hojuelas de chile rojo y la hoja de laurel. Eleve el fuego a medio-alto y lleve a ebullición moviendo frecuentemente. Cuando suelte el hervor reduzca el fuego y hierva lentamente cerca de 1 ½ hora, hasta que la salsa espese, moviendo ocasionalmente para evitar que se queme y agregando agua si la salsa se espesa demasiado rápido. Durante los últimos 15 minutos de ebullición lenta integre la albahaca.

Deseche la hoja de laurel. Use la salsa de inmediato o deje enfriar, tape y refrigere hasta por 4 días o congele hasta por 3 meses.

CATSUP

Jitomates machacados, 1 lata (785 g/28 oz)

Miel de maíz clara, ¼ taza

Vinagre de sidra, 3 cucharadas

Cebolla amarilla o blanca, 2 cucharadas, finamente picada

Pimiento rojo, 2 cucharadas, finamente picado

Ajo, 1 diente pequeño, finamente picado

Azúcar mascabado, 1 cucharada compacta

Sal kosher, 1 cucharadita

Pimienta negra recién molida, ⅛ cucharadita

Pimienta de Jamaica molida, una pizca

Clavos de olor molidos, una pizca

Semillas de apio, una pizca

Semillas de mostaza amarilla, una pizca

Hoja de laurel, ½ hoja

RINDE APROXIMADAMENTE 1½ TAZA

Por lo menos un día antes de servir, mezcle todos los ingredientes en una olla gruesa sobre fuego medio. Lleve a ebullición, moviendo frecuentemente. Cuando suelte el hervor reduzca el fuego a medio-bajo, cocine en un hervor enérgico cerca de una hora, moviendo frecuentemente, hasta que la mezcla espese y se reduzca a la mitad.

Pase los ingredientes por un colador de malla mediana colocado sobre un tazón refractario, desechando los sólidos que se queden en el colador. Deje enfriar completamente. Pase a un recipiente tapado, refrigere durante toda la noche para permitir que se mezclen los sabores antes de usarse. Use de inmediato o refrigere hasta por 2 semanas.

MAYONESA

Huevo grande, 1

Jugo fresco de limón amarillo, 1 cucharada

Mostaza dijon, 1 cucharadita

Sal fina de mar, ¼ cucharadita

Pimienta blanca recién molida, ⅛ cucharadita

Aceite de oliva, ¾ taza

Aceite de canola, ¾ taza

RINDE APROXIMADAMENTE 1½ TAZA

Ponga el huevo en un tazón, agregue agua caliente para cubrirlo y deje reposar durante 5 minutos para quitarle lo frío. Rompa el huevo sobre un procesador de alimentos. Agregue el jugo de limón, mostaza, sal y pimienta blanca. Mezcle los aceites de canola y oliva en una taza para medir de vidrio. Con el procesador funcionando agregue los aceites a través del tubo alimentador en hilo lento y continuo y procese hasta que la mayonesa esté espesa. Agregue una cucharada de agua caliente y pulse brevemente; la textura se hará notablemente más cremosa. Pruebe y rectifique la sazón. Use inmediatamente o tape y refrigere hasta por 5 días.

RÉMOULADE

Mayonesa (arriba o comprada), 1 taza

Cornichons o pepinillos, 1 cucharada, finamente picados

Alcaparras nonpareil, 1 cucharada, enjuagadas

Perejil liso fresco, 1 cucharada, finamente picado

Estragón fresco, 2 cucharaditas, finamente picado

Mostaza café picante, de preferencia criolla, 1 cucharadita

Pasta de anchoas, ½ cucharadita

Ajo, 1 diente pequeño, finamente picado

RINDE APROXIMADAMENTE 1 TAZA

En un tazón mezcle todos los ingredientes hasta integrar por completo. Tape y refrigere durante una hora antes de servir. Use inmediatamente o refrigere hasta por 4 días.

HUEVOS POCHÉ

Vinagre blanco destilado, 2 cucharadas

Huevos grandes

En una olla ancha mezcle 8 tazas de agua y el vinagre y lleve a ebullición. Llene un tazón a la mitad con agua caliente y ponga cerca de la estufa. Reduzca el fuego a medio-bajo para mantener el agua hirviendo lentamente.

Rompa un huevo sobre un tazón pequeño o ramekin. Resbale el huevo del tazón en el agua hirviendo. Usando una cuchara grande de metal pase rápido la clara de huevo hacia el centro del huevo para que el huevo mantenga una forma ovalada. Hierva lentamente de 3 a 4 minutos, hasta que la clara esté opaca y el huevo esté lo suficientemente firme para mantener su forma.

Con una cuchara ranurada grande saque el huevo del agua hirviendo. Retire los trozos blancos que estén medio sueltos y pase con cuidado al tazón con agua caliente. Repita la operación para cocinar los huevos que necesite. Con práctica podrá hacer 2 ó 3 huevos al mismo tiempo, pero mantenga el control del orden en que agrega los huevos a la olla para que no sobre cocine ninguno. El agua caliente mantendrá los huevos a la temperatura ideal para servirlos hasta por 10 minutos.

NOTA Entre más frescos estén los huevos serán más atractivos los huevos poché porque las claras tendrán una forma más limpia y redondeada. Revise la fecha del cartón o, mejor aún, compre los huevos en el mercado de granjeros.

MASA PARA PIZZA

Levadura instantánea seca en polvo, 2½ cucharaditas

Agua caliente (entre 52 y 57°C/105 - 115°F), ¼ taza

Aceite de oliva extra virgen, ¼ taza

Sal fina de mar, 1½ cucharadita

Azúcar, 1 cucharadita

Harina para pan, 3 tazas o la necesaria

RINDE LA SUFICIENTE MASA PARA DOS PIZZAS DE 30 CM (12 IN) Ó 6 CALZONE

Por lo menos 10 horas antes de hacer la pizza o los calzone, en un tazón pequeño espolvoree la levadura en el agua tibia y deje reposar alrededor de 5 minutos, hasta que espume. Pase la mezcla de levadura al tazón de una batidora de mesa adaptada con el aditamento de pala. Agregue una taza de agua fría, ¼ taza de aceite, sal y azúcar.

Con la batidora a velocidad media-baja, agregue la harina para hacer una masa suave que no se pegue a los lados del tazón. Apague la batidora, cubra el tazón con un trapo de la cocina, envolviendo alrededor del aditamento de pala. Deje reposar durante 10 minutos.

Retire la toalla y cambie el aditamento de pala por el de gancho para masa. Amase la masa en velocidad media cerca de 8 minutos, deteniendo la batidora para bajar la masa que se suba al gancho, hasta que la masa esté tersa y flexible. Pase la masa a una superficie de trabajo ligeramente enharinada y amase con las manos durante un minuto. Haga una bola apretada con la masa.

Engrase ligeramente con aceite un tazón grande. Agregue la masa, dele vuelta para cubrir con el aceite y acomode el lado terso hacia arriba. Tape el tazón herméticamente con plástico adherente. Refrigere por lo menos durante 8 horas o hasta por 36 horas, hasta que duplique su tamaño. Retire la masa del refrigerador 1 ó 2 horas antes de extenderla.

MASA QUEBRADA

MASA QUEBRADA PARA CORTEZA SENCILLA DE 23 A 26 CM (9 – 10 IN)

Harina de trigo simple, 1¼ taza

Azúcar, 1 cucharada (opcional; vea la nota)

Sal fina de mar, ¼ cucharadita

Mantequilla sin sal, 5 cucharadas, fría

Manteca vegetal, 2 cucharadas, fría

Agua con hielos, aproximadamente ¼ taza

MASA QUEBRADA PARA CORTEZA DOBLE DE 23 A 26 CM (9 – 10 IN)

Harina de trigo simple, 2½ tazas

Azúcar, 2 cucharadas (opcional; vea la nota)

Sal fina de mar, ½ cucharadita

Mantequilla sin sal, ½ taza más 2 cucharadas, fría

Manteca vegetal, 3 cucharadas, fría

Agua con hielos, aproximadamente ½ taza

En un tazón grande bata la harina, azúcar (si la usa) y sal. Corte la mantequilla y la manteca en trozos y esparza sobre la mezcla de la harina. Usando un mezclador de varillas o 2 cuchillos, corte la mantequilla y la manteca en la mezcla de harina justo hasta que la mezcla forme grumos grandes y gruesos del tamaño de un chícharo.

Rocíe el agua helada sobre la mezcla de harina y revuelva con un tenedor hasta que la masa forme grumos húmedos. Si la masa parece estar demasiado grumosa, agregue un poco más de agua helada.

Haga un disco con la masa (se verán algunas hojuelas planas de mantequilla), envuelva en plástico adherente y refrigere por lo menos 30 minutos o hasta por 2 horas. O envuelva con dos capas de papel aluminio y congele hasta por un mes, descongele en el refrigerador antes de usar.

NOTA Agregue el azúcar si usa la masa para una receta dulce y omítala si la está usando para un platillo salado como la quiche.

RIZOS DE CHOCOLATE SEMIAMARGO

Chocolate semiamargo, aproximadamente 170 g (6 oz) en una sola pieza

Caliente el chocolate en el microondas a potencia media-baja (30%) durante 15 segundos para suavizar ligeramente. Usando un pelador de verduras, rasure el chocolate haciendo rizos y déjelos caer sobre una hoja de papel encerado. Refrigere los rizos cerca de 10 minutos para que se pongan ligeramente firmes antes de usar.

CREMA BATIDA

Crema dulce para batir, 1 taza

Azúcar, 2 cucharadas

Extracto puro de vainilla, ½ cucharadita

RINDE APROXIMADAMENTE 2 TAZAS

En un tazón frío mezcle la crema, azúcar y vainilla. Usando una batidora manual a velocidad media-alta, bata hasta formar picos suaves. Use inmediatamente o tape y refrigere hasta por 2 horas antes de servir.

ÍNDICE

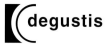

Importado, publicado y editado en México en 2009 por / Imported, published and edited in Mexico in 2009 by: Advanced Marketing, S. de R. L. de C.V. Calz. San Francisco Cuautlalpan No. 102 Bodega "D" Col. San Francisco Cuautlalpan, Naucalpan de Juárez, Edo. de México, C.P. 53569 Título original / Original Title: Comfort Food / Comida Reconfortante Traducción / Translation:Laura Cordera, Ana Ma. Roza I. y Concepción O. de Jourdain Corrección de estilo en español: Cristina Tinoco de Olea

WILLIAMS-SONOMA, INC.

Fundador y Vice-presidente Chuck Williams

COMIDA RECONFORTANTE DE WILLIAMS-SONOMA

Ideado y producido por Weldon Owen Inc. 415 Jackson Street, San Francisco, CA 94111 En colaboración con Williams-Sonoma, Inc.3250 Van Ness Avenue, San Francisco, CA 94109

Una Producción de Weldon Owen Derechos registrados © 2009 por Weldon Owen Inc. y Williams-Sonoma, Inc.

Todos los derechos reservados, incluyendo el derecho de reproducción total o parcial en cualquier forma.

Primera impresión en 2009 10 9 8 7 6 5 4 3 2 1

Fabricado e impreso en China en Julio 2009 por / Manufactured and printed in China on July 2009 by: SNP Leefung Printers Ltd. Jin Ju Guan Li Qu Da Ling Shan Town Dongguan, P.C. 523825, China

ISBN-13: 978-607-404-119-4

WELDON OWEN INC.

Editor del Grupo, Bonnier Publishing Group John Owen

CEO y Presidente Terry Newell

VP Senior, Ventas Internacionales Stuart Laurence

VP, Ventas y Desarrollo de Nuevos Proyectos Amy Kaneko

Director de Finanzas Mark Perrigo

VP y Editor Hannah Rahill

VP y Director Creativo Gaye Allen

Director Asociado de Arte Emma Boys

Editor Ejecutivo Kim Laidlaw

Diseñador Senior Diana Heom

Director de Producción Chris Hemesath

Administrador de Producción Michelle Duggan

Director de Color Teri Bell

Fotografía Ray Kachatorian

Asistente de Fotografía Conor Collins

Estilista de Alimentos Lillian Kang

Asistente de Estilistas de Alimentos Alexa Hyman

Weldon Owen agradece a:

Leslie Evans, Carol Hacker, Elizabeth Parson, Sharon Silva, and Sharron Wood